# 1 MONTH OF
# FREE
# READING

## at

## www.ForgottenBooks.com

By purchasing this book you are eligible for one month membership to ForgottenBooks.com, giving you unlimited access to our entire collection of over 1,000,000 titles via our web site and mobile apps.

To claim your free month visit: www.forgottenbooks.com/free337034

ISBN 978-0-428-22764-7
PIBN 10337034

# Abhandlungen

aus der

# mathematischen Astronomie.

Von

## D<sup>r.</sup> Karl Israel-Holtzwart.

Halle a. S.

Druck und Verlag von H. W. Schmidt.

1890.

2B3EE
I7

# VORWORT.

Bei Bearbeitung der nachfolgenden astronomischen Probleme ist der Verfasser vielfach von neuen Gesichtspunkten ausgegangen. So wurde bereits die einfache Planetenbewegung, abweichend von der traditionellen Behandlungsweise, durch das Verfahren der Variation der Parameter begründet; in der mechanischen Quadratur der Störungen, teilweise auch in der Bahnbestimmung fand zur Berücksichtigung der Glieder höherer Ordnung eine aus der Eulerschen Reihe sich sehr einfach ergebende Reduktionsmethode Anwendung. Überall wurde jedoch aus didaktischen Gründen — da die Schrift auch dem Anfangsstudium dienen soll — ein möglichst enger Anschluſs an die gebräuchlichen, insbesondere die Encke-Lagrangeschen Rechnungsformen zu erreichen gesucht. Auch glaubte der Verfasser aus denselben Gründen mehr Gewicht auf klare und bündige Darstellung des Gedankengangs legen zu müssen als auf eine erschöpfende Entwickelung des analytischen und numerischen Details, die zweckmäſsiger dem Spielraum der eigenen Thätigkeit des Lesers überlassen bleibt.

Frankfurt a. M., November 1889.

Der Verfasser.

# Inhalts - Übersicht.

## Abschnitt A.
### Theorie der elliptischen Bewegung.

## Abschnitt B.
### Entwickelung der Lagrange-Encke'schen Störungsformeln.

# Abschnitt C.
## Verändertes Verfahren zur Berechnung der speziellen Störungen.

# Abschnitt D.

# Abschnitt E.

# Abschnitt F.

# Abschnitt G.
## Berechnung der Planetenbahnen aus Beobachtungen.

# A.

# Theorie der elliptischen Bewegung.

## Einleitung.

Das unter dem Namen „Methode der variierenden Konstanten" bekannte Verfahren der Integralrechnung leistet auf
astromechanischem Gebiete in allen denjenigen Fällen unschätz-
bare Dienste, in welchen die Veränderung (Variation) der Konstanten — wie beispielsweise die Änderung der elliptischen Bahnelemente eines Planeten — nur langsam mit der Zeit fort-
schreitet. Denn unter dieser Voraussetzung werden die auftretenden Differentialausdrücke stets einer, wenn auch nur empirischen, Integration fähig.

Zur Herstellung allgemeiner *endlicher* Integrale scheint das
Verfahren der Variation in der Mechanik der Himmelskörper
bis jetzt keine Verwendung gefunden zu haben. Die eingehende
Erörterung eines hierher gehörigen Falls — nämlich der Entwickelung der Integrale der elliptischen Bewegung aus denen
der oskulierenden geradlinigen Bewegung — dürfte deshalb wohl
von einem allgemeinern Interesse sein. Zwar ist für die Er-
forschung der elliptischen Bewegung schon in anderer Weise
hinreichend gesorgt. Da indessen das Problem der drei Körper,
also der *gestörten* elliptischen Bewegung, stets im Anschlusse an
das Problem der zwei Körper und dann meist, namentlich in
Fällen der Praxis, durch die Variation der Konstanten behandelt
zu werden pflegt, so liegt schon in der immer zu erstrebenden
*Einheitlichkeit* der Untersuchungsmethode eine Aufforderung,
auch dies letztere Problem wieder an ein einfacheres anzu-
schliefsen, also das Problem der zwei Körper auf das eines einzigen Körpers zurückzuführen. Es bietet so die Lösung des ein-

fachern Falls bereits den Schlüssel zur Lösung des zusammen-
gesetzten Problems, welches den zweiten Gegenstand der vorliegenden Abhandlung bilden wird.

Überdies werden wir uns in der Folge überzeugen, daſs
das den Keplerschen Gesetzen entsprechende Problem der zwei
Körper bei Anwendung der Methode der variierenden Konstanten
sich nicht bloſs unter einem neuen, sondern auch unter einem
erheblich einfachern Gesichtspunkte darstellt.

Was die Variationsmethode selbst betrifft, so kann man
zwei Formen von wesentlich verschiedener Beschaffenheit, eine rein
mathematische und eine ausgesprochen dynamische, unterscheiden. Die erstere wird zunächst stets bei mathematischen
Problemen angewendet, aber auch bei astronomischen Entwickelungen fast bis zum völligen Ausschlusse der zweiten Form
bevorzugt. In der folgenden Untersuchung werden wir hingegen
lediglich von der dynamischen als der bei weitem geschmeidigeren
und energischeren Form Gebrauch machen.

Nur der Vollständigkeit wegen wird auch die mathematische
Form eine kurze, aber zu ihrer Charakteristik hinreichende Besprechung erfahren.

## II. Allgemeine Betrachtungen
### über die Methode der variierenden Konstanten.

Jede Bewegung kann und muſs in ihren unendlich kleinen
Teilen als einfach, d. h. als geradlinig und gleichförmig gedacht
werden — mag im übrigen der Bewegungsvorgang, als Ganzes
betrachtet, ein noch so zusammengesetztes Phänomèn bilden.
Nach dieser Auffassung erscheint deshalb auch die verschlungene,
in ihrem Gesamtverlaufe unfaſsbare Planetenbewegung als eine
Summe geradliniger Elementarbewegungen. Wäre man imstande
die Einwirkung aller einen Planeten angreifenden äuſseren Kräfte
zu irgend einer Zeit aufzuheben, so würde derselbe von da ab,
zufolge des Trägheitsgesetzes, in der Richtung der Bahntangente
mit der ihm gerade innewohnenden Geschwindigkeit seine Bewegung fortsetzen.

Nehmen wir an, die Bewegung vollziehe sich in einer Ebene
— ein Fall, der unserer Betrachtung zunächst unterliegt — so

können wir den Ort des bewegten Punktes zu einer bestimmten Zeit durch die rechtwinkligen Parallelkoordinaten

$$x_0, y_0$$

und die momentanen Geschwindigkeiten in der Richtung der Koordinatenachsen durch

$$\frac{dx_0}{dt}, \frac{dy_0}{dt}$$

Fig. 1.

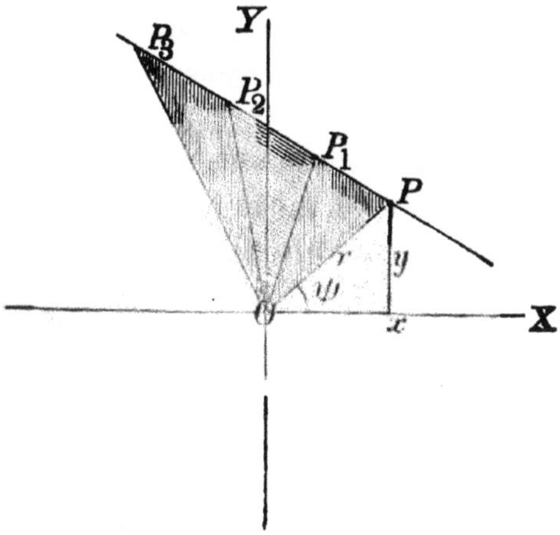

ausdrücken. Nach Verlauf der Zeit $t$ wird dann der dem Einflusse äußerer Kräfte entrückte Punkt den Ort

$$x = x_0 + \frac{dx_0}{dt} \cdot t$$

$$y = y_0 + \frac{dy_0}{dt} \cdot t$$

einnehmen. Durch Elimination von $t$ ergiebt sich hieraus die Gleichung der Bahn:

$$y = \frac{dy_0}{dx_0} \cdot x + \frac{y_0\, dx_0 - x_0\, dy_0}{dx_0}$$

demnach die Gleichung einer Geraden, sowie die Geschwindigkeit in der Bahn

$$\frac{ds}{dt} = \sqrt{\left(\frac{dy_0}{dt}\right)^2 + \left(\frac{dx_0}{dt}\right)^2}.$$

Setzt man zur Abkürzung

$$\frac{dy_0}{dx_0} = m \quad \text{und} \quad \frac{y^0\, dx_0 - x_0\, dy_0}{dx_0} = q,$$

so hat man $m$ und $q$ als Konstante oder Elemente der Bahn zu betrachten. Es verdient hier besondere Beachtung, daß diese Elemente lediglich durch $x_0, y_0, \frac{dx_0}{dt}, \frac{dy_0}{dt}$, also durch die Koordinaten und ihre Geschwindigkeiten ausgedrückt sind. Werden vermöge der Gleichungen

$$x = r \cos \psi; \; y = r \sin \psi$$

Polarkoordinaten eingeführt, so erhält man als Gleichung der Bahn:

$$r = \frac{q}{\sin \psi - m \cos \psi} \quad \cdots \cdots \quad \text{(I)}.$$

Machen wir nun aber die Annahme, daſs bei Beginn der Zeit $t$
gewisse äuſsere Kräfte anfangen oder fortfahren auf den Punkt
einzuwirken, so wird derselbe zwar auch im folgenden Zeitdifferentiale eine geradlinige Bahn beschreiben, indessen werden
die Elemente oder Konstanten dieser neuen Bahn — infolge des
Einflusses der äuſseren Kräfte — von den früheren etwas verschiedene Werte annehmen.  Im dritten Zeitelemente wird sich
dieser Vorgang wiederholen und sofort durch alle folgende Zeitteilchen.

Besäſsen wir nun ein Mittel, das G e s e t z  d e r  V e r ä n d e r -
l i c h k e i t  d e r  K o n s t a n t e n ausfindig zu machen, mit anderen
Worten, letztere als bekannte Funktionen der Zeit $t$ darzustellen,
so wäre der Ort des Punktes für a l l e  Z u k u n f t als gegeben
anzusehen.  Man könnte dann sagen:

> D i e  B a h n  d e s  P u n k t e s  s e i  d u r c h  B e s t i m m u n g
> d e r  V a r i a t i o n  d e r  K o n s t a n t e n  g e f u n d e n  w o r d e n.

Die Gerade, welche dabei den Ausgangspunkt unserer Betrachtung bildete und bei Beginn der Zeit $t$ mit der Bahn selbst
einen Augenblick zusammenfiel, lieſse sich, nach Analogie eines
in einem verwandten Falle eingeführten Sprachgebrauchs, als

o s k u l i e r e n d e  G e r a d e

bezeichnen, d. h. als diejenige Gerade, welche sich im betrachteten
Augenblicke der Bahn am engsten anschlieſst.

Wir haben im Vorhergehenden angenommen, die Bewegung
gehe in einer Ebene von statten.  Es leuchtet indessen ohne
Weiteres ein, daſs dieselbe Auffassung auch auf jede, beliebig im
Raume verlaufende Bewegung übertragbar ist.  Nur haben wir
alsdann den ganzen Vorgang auf ein dreiachsiges Koordinatensystem zu beziehen und der oskulierenden Geraden die Gleichungen

$$x = x_0 + \frac{dx_0}{dt} \cdot t$$

$$y = y_0 + \frac{dy_0}{dt} \cdot t$$

$$z = z_0 + \frac{dz_0}{dt} \cdot t$$

beizulegen, sowie die oskulierende Geschwindigkeit

$$\frac{ds}{dt} = \sqrt{\left(\frac{dx_0}{dt}\right)^2 + \left(\frac{dy_0}{dt}\right)^2 + \left(\frac{dz_0}{dt}\right)^2}$$

zu setzen.

Wählen wir ein anderes Beispiel. In jedem Augenblicke hat ein Planet einen bestimmten Ort, eine bestimmte Bewegungsrichtung und Geschwindigkeit. Wenn nun von einem beliebigen Zeitpunkte an — mit Ausschluſs der Attraktion anderer Planeten — lediglich die zwischen ihm und der Sonne bestehende Anziehungskraft thätig wäre, so läſst sich zeigen, daſs die Bahn die Gestalt eines Kegelschnittes, sagen wir einer Ellipse, annimmt und daſs diese Bahn, so lange keine neuen Kräfte hinzutreten, nach Gröſse, Lage und allen anderen Beziehungen unverändert fortbesteht.

In ähnlicher Weise, wie früher aus den für den Oskulationszeitpunkt gegebenen Koordinaten und Geschwindigkeiten die Elemente der oskulierenden Geraden sich ergeben, lassen sich jetzt aus denselben Gröſsen

$$x_0, \; y_0, \; z_0, \; \frac{dx_0}{dt}, \; \frac{dy_0}{dt}, \; \frac{dz_0}{dt} \; .$$

die sechs Elemente der momentanen Ellipse, deren einer Brennpunkt in der Sonne liegt, entwickeln. Dabei können wir, der Einfachheit wegen und ohne Hintansetzung der Allgemeinheit, stets den Ursprung der Koordinaten mit dem Sonnenmittelpunkt zusammenfallen lassen. Der bemerkte Zusammenhang zwischen den 6 Bahnelementen und den 6 Konstanten der momentanen Bewegung ist ein für die klare Auffassung des Problems höchst wichtiger Umstand, dessen Begründung wir uns für eine spätere Gelegenheit vorbehalten.

Diese sechs Elemente — aus denen der rein elliptische Ort für jede gegebene Zeit bestimmbar ist — werden wir in Zukunft durch folgende Buchstaben bezeichnen (s. Fig. 2, in welcher $S$ die Sonne und $P$ den Planeten bedeutet):

1. die groſse Halbachse (mittlere Entfernung) durch $a$,
2. die Excentricität durch $\varepsilon$,
3. die wahre Anomalie zur Zeit der Oskulation durch $\varphi_0$,
4. den Winkel vom Perihel bis zur Schnittlinie (Knotenlinie) der Bahnebene mit der Ebene $X$-$Y$ (etwa der zur Zeit der Oskulation stattfindenden Ekliptikebene), gezählt in der Richtung der Bewegung, durch $\omega$,

5. den Winkelabstand dieser Knotenlinie selbst von einer festen Geraden in der $X$-$Y$-Ebene (etwa der momentanen Äquinoktiallinie) durch $\Omega$,

6. die Neigung der Bahnebene gegen dieselbe Fundamentalebene durch $i$,

wozu dann noch

7. die mittlere tägliche Bewegung $n$ tritt, welche indessen zufolge des dritten Keplerschen Gesetzes aus der Gaußschen Konstanten und der Halbachse $a$ gefunden, deshalb nicht als selbständiges Element betrachtet werden kann.

Durch die Länge $\Omega$ des aufsteigenden Knotens, der übrigens wie gelegentlich bemerkt sei, auch selbst durch $\Omega$ bezeichnet zu werden pflegt, und die Neigung $i$ gegen die Ekliptik ist die Lage der Bahnebene, durch den Winkel $\omega$ die Lage des Perihels gegen den aufsteigenden Knoten, durch die wahre Anomalie $\varphi_0$ der Ort des Planeten in der Epoche, endlich durch $a$ und $\varepsilon$ sind die Dimensionen der Ellipse gegeben.

Fig. 2.

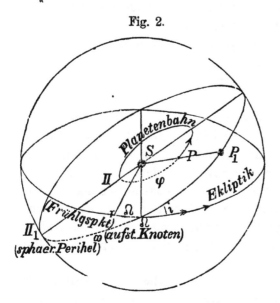

Lassen wir nun unsere frühere einschränkende Voraussetzung wieder fallen und nehmen — wie es der Wirklichkeit und dem Gesetze der allgemeinen Gravitation entspricht — an, daß nicht bloß zwischen Sonne und Planet eine wechselseitige Anziehung bestehe, sondern daß diese beiden Himmelskörper auch mit allen anderen Planeten durch gleiche Kräfte verbunden seien, so kann man nur behaupten, daß der Planet ein unendlich kleines Teilchen jener Ellipse wirklich beschreibe, im zweiten Zeitelement aber — infolge der hinzutretenden Einwirkung der anderen Planeten — zwar auch wieder ein unendlich kleines Teilchen einer Ellipse durchlaufe, deren Elemente jedoch ein wenig verschieden sind von denen der ersten Ellipse und so in allen folgenden Zeitteilchen. Man könnte also dem wahren Laufe des Planeten folgen, wenn man für denselben — unter Zugrundelegung jener ersten Elemente — zunächst von einer Ellipse ausginge, dann aber diesen Elementen angemessene Änderungen zuerteilte. Vermöchte man nun wiederum diese Änderungen als Funktionen der Zeit zu bestimmen, so wäre damit der Ort des Planeten für alle Folgezeit durch einfache Rechnung zu ermitteln. Auch in diesem Falle hätte man die veränderliche Planetbahn aus der ursprünglichen, s. g. oskulierenden Ellipse durch Bestimmung der Variationen ihrer Konstanten abgeleitet.

Obwohl die Erzeugung der wahren Planetenbahn aus den oskulierenden Geraden einfacher und naturgemäfser erscheint als die Entwickelung aus der oskulierenden Ellipse, so bietet doch die letztere Auffassung in der Astronomie entschiedene Vorteile. Denn die anzubringenden Änderungen der oskulierenden Ellipse — welche ja nur der im Vergleiche zur Sonnenanziehung sehr geringfügigen Planetenanziehung ihr Dasein verdanken — gehen äufserst langsam vor sich und schwanken meist zwischen sehr kleinen Werten hin und her, während die zur Darstellung eines Planetenlaufs erforderlichen Korrektionen der oskulierenden geradlinigen Bewegung alsbald und mit sehr beträchtlichem Werte hervortreten. Dieser Umstand würde zwar an sich kaum für die eine oder die andere Methode ausschlaggebend sein, wenn es in unserer Macht stände, die Variationen der Konstanten in beiden Fällen allgemein und streng als Funktton der Zeit zu entwickeln. Da dies indessen nicht oder doch nur in sehr beschränkter Weise der Fall, man vielmehr der Regel nach darauf angewiesen ist, mit Hilfe der s. g. mechanischen Quadratur für kleinere Zeitabschnitte die Abweichungen von der oskulierenden Bahn zu bestimmen, so wäre es gewifs recht irrationell bei Anwendung dieses empirischen Verfahrens von der oskulierenden Geraden auszugehen, obwohl dieselbe uns gewissermaafsen von der Natur selbst dargeboten wird. Es gebührt vielmehr demjenigen Wege der Vorrang, welcher die geringsten Korrektionen verlangt und die grofse Kluft zwischen der gleichförmigen geradlinigen und der wahren Bewegung der Planeten zunächst durch ein allgemeines Verfahren möglichst aufhebt.

Wenn nun aber auch die wahre, gestörte Planetenbewegung nicht generell aus der gleichförmigen Tangentialbewegung deduzierbar ist, so kann doch andererseits die Frage aufgeworfen werden, ob nicht gerade jener erste und bedeutendste Schritt zur wahren Bahn gleichfalls mit Hilfe der variierenden Konstanten ausgeführt, d. h. die rein elliptische Planetenbewegung aus der oskulierenden geradlinigen Bewegung allgemein durch Variation der Konstanten entwickelt werden kann. Im bejahenden Falle wäre dann doch durch blofse Veränderung der Parameter die definitive Planetenbewegung aus der momentanen Tangentialbewegung hergeleitet — wenn auch in zwei Annäherungsstufen, insofern zunächst aus der geradlinigen Bewegung die elliptische und sodann aus dieser die eigentliche gestörte Bewegung lediglich durch Anwendung unseres Prinzips erschlossen worden wäre.

Es ist bereits in der Einleitung darauf hingewiesen worden, dafs, abgesehen von den theoretischen Vorzügen dieses Verfahrens, die in der That mögliche Ableitung der elliptischen aus der tangentialen Bewegung sich auch ungleich einfacher gestaltet als die allgemein übliche Herleitung der Ellipse aus den Differentialgleichnngen der Bewegung. Im letzteren Falle werden bekanntlich aus den Differentialgleichungen zweiter Ordnung durch geeignetes Kombinieren und einmaliges Integrieren zwei Differentialgleichungen erster Ordnung (das s. g. Flächenprinzip und das Gesetz der linearen Bahngeschwindigkeit) gefunden und aus diesen dann erst durch nochmalige Integration die Gleichung der Bahn zunächst in Form einer cyklometrischen Funktion — erhalten. Dabei veranlafst die Bestimmung der Konstanten noch eine recht umständliche Nebenuntersuchung. — Bedient man sich hingegen des Variationsprinzips, so liefert bereits eine einmalige überaus leichte Integration sofort die Polargleichung der Bahn, während sämtliche Konstanten aus den Bedingungen des Problems ebenfalls in ungezwungener Weise hervorgehen. Überhaupt verdient als eine Eigentümlichkeit der Methode der variierenden Konstanten gleich an dieser Stelle betont zu werden, dafs durch sie der Regel nach nur einfache, keine doppelten Integrationen bedingt werden.

## III. Analytischer Ausdruck der dynamischen Variationsmethode.

Ehe wir zur analytischen Darstellung der Methode schreiten, dürfte es zweckmäfsig sein, die wichtigsten, der folgenden Untersuchung zu Grunde liegenden Relationen zunächst in Erinnerung zu bringen.

Dafs — bei Betrachtung einer ebenen Bewegung und Annahme eines zweiachsigen Koordinatensystems — für den Radiusrektor $r$ die Gleichung besteht (s. Fig. 3).

$$r^2 = x^2 + y^2$$

sei hier nur deshalb erwähnt, weil hieraus sofort für das Differential des Vektors folgt:

$$dr = \frac{x}{r}\, dx + \frac{y}{r}\, dy.$$

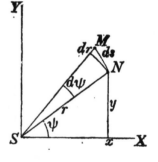

Fig. 3.

Nennt man ferner $ds$ das Bahnelement, so hat man

$$ds^2 = dx^2 + dy^2.$$

Wird das Winkelelement mit $d\psi$ bezeichnet, so ist

$$r d\psi$$

der Ausdruck des dem Radius $r$ entsprechenden Kreisbogenelements. Es mifst demnach

$$r^2 d\psi$$

die doppelte Fläche des unendlich kleinen Bahnsektors $SMN$. Dieselbe Fläche kann aber (wenn man erwägt, dafs

$$(r d\psi)^2 = ds^2 - dr^2$$

mit Hilfe der obigen Beziehungen auch leicht in die Form gebracht werden:

$$x\, dy - y\, dx,$$

also nicht, zur Vermeidung negativer Flächen in die sonst gleichwertige Form

$$y\, dx - x\, dy.$$

Endlich hat man nach dem Gravitationsgesetze für die im Radiusvektor zwischen Sonne und Planet wirkende Anziehungskraft — vorausgesetzt, dafs mit $f$ die Krafteinheit (also mit $\sqrt{f} = k$ die

s. g. Gaufssche Konstante), mit 1 die Sonnen- und mit $m$ die Planetenmasse angedeutet wird, den Ausdruck

$$-\frac{f_{(1+m)}}{r^2},$$

welcher mit dem negativen Vorzeichen zu versehen ist, weil beide Kräfte, nämlich die Sonnenkraft $\frac{f}{r^2}$ und die Planetenkraft $\frac{fm}{r^2}$, den Radiusvektor zu vermeiden streben.

Zerlegt man dieselbe nach der Richtung der $x$ und $y$, so ergeben sich für die beiden Komponenten die Gleichungen:

$$\frac{d^2 x}{dt^2} = -\frac{f_{(1+m)}}{r^2} \cos \psi = -\frac{f_{(1+m)} x}{r^3} \quad \ldots \ldots (1)$$

$$\frac{d^2 y}{dt^2} = -\frac{f_{(1+m)}}{r^2} \sin \psi = -\frac{f_{(1+m)} y}{r^3} \quad \ldots \ldots (2)$$

Es sind dies die Differentialgleichungen der Bewegung, wenn lediglich die Attraktion von Sonne und Planet in Betracht gezogen wird.

Im Anschlusse an dieselben können wir unsere Aufgabe nun folgendermafsen formulieren: Man kennt die Integrale der Gleichungen:

$$\left.\begin{array}{l} \dfrac{d^2 x}{dt^2} = 0 \\[2mm] \dfrac{d^2 y}{dt^2} = 0 \end{array}\right\} \quad \ldots \ldots (\alpha),$$

also die Integrale für den Fall, dafs überhaupt keine beschleunigenden Kräfte den bewegten Punkt angreifen, nämlich:

$$x = x_\bullet + \frac{dx_0}{dt} \cdot t$$

$$y = y_0 + \frac{dy_0}{dt} \cdot t,$$

woraus — wenn zur Abkürzung

$$\frac{dy_0}{dx_0} = m^*$$

$$-\frac{x_0 dy_0 + y_0 dx_0}{dx_0} = q$$

gesetzt wird — sich ergiebt:

---

* Nicht zu verwechseln mit der Planetenmasse $m$, welche nur in der Verbindung $f_{(1+m)}$ auftritt.

$$y = mx + q$$

oder in Polarkoordinaten

$$r = \frac{q}{\sin \psi - m \cos \psi} \dots \dots (I)$$

und

$$\frac{ds}{dt} = \sqrt{\left(\frac{dy_0}{dt}\right)^2 + \left(\frac{dx_0}{dt}\right)^2}.$$

Es entsteht nun die Frage: Wie gestaltet sich das Integral der Gleichungen $(\alpha)$, wenn an Stelle der rechtseitigen Null die relativen Anziehungskräfte treten, demnach die Gleichungen $(\alpha)$ übergehen in:

$$\left. \begin{aligned} \frac{d^2 x}{dt^2} &= -\frac{f_{(1+m)}\,x}{r^3} \\ \frac{d^2 y}{dt^2} &= -\frac{f_{(1+m)}\,y}{r^3} \end{aligned} \right\} \dots \dots (\beta),$$

**vorausgesetzt, daß die allgemeine Form des Integrals** (I) **beibehalten werden soll.**

In der Analysis nennt man die Gleichungen $(\alpha)$ **reduzierte,** die Gleichungen $(\beta)$ **vollständige** lineare Gleichungen der zweiten Ordnung, so daß man unserer Aufgabe auch die Fassung geben könnte: Man kennt das Integral zweier simultanen reduzierten Differentialgleichungen und sucht das Integral zweier vollständigen Gleichungen — unter der Voraussetzung, daß beide Integrale eine gemeinsame Form haben.

Es ist ohne Weiteres einleuchtend, daß die erste Form mit den Bedingungen des zweiten Falles nur dann verträglich ist, wenn die ursprünglichen Konstanten $m$ und $q$ als variabel betrachtet werden, so daß es also darauf ankommt, das Gesetz der Variation von $m$ und $q$ festzustellen. Von diesem Gesichtspunkte aus läßt sich das Verfahren sehr wohl mit der bekannten Methode der unbestimmten Koeffizienten vergleichen, wo gleichfalls die allgemeine Form der Entwickelung bekannt ist und nur die unbestimmten Koeffizienten — in unserem Falle $m$ und $q$ — den Bedingungen gemäß zu ermitteln sind. — Die höhere Analysis giebt auch bestimmte Vorschriften über den bei Lösung unserer Aufgabe im allgemeinen einzuschlagenden Weg, von denen beispielsweise E n c k e in seiner berühmten Abhandlung über die Berechnung specieller Störungen Gebrauch gemacht hat (vergl. Berliner Astronom. Jahrbuch für 1837 u. 38). Dies, der reinen

Mathematik entlehnte Verfahren erweist sich indessen in der Praxis als schwer durchführbar, wenigstens bedingt dasselbe — wie die Entwickelungen von Encke u. A. beweisen — ganz übermäßige Nebenrechnungen.

Eine kurze Andeutung, um auf einem anderen Wege zu den Variationen der Konstanten zu gelangen, findet man in den Elementen der Mechanik des Himmels von Möbius, p. 310. Die überraschende Einfachheit, mit der es mir gelang auf Grund dieses Prinzips die Encke schen Formeln für die Variationen der elliptischen Bahnelemente herzuleiten, veranlaßte mich einen allgemeinen analytischen Ausdruck für dies Verfahren aufzustellen, und zwar durch folgende Betrachtung:

Da beschleunigende Kräfte stets in der Form von Differential-quotienten der zweiten Ordnung gegeben sind, z. B. $\frac{d^2 x}{dt^2}$, so werden durch die Integration je zwei Konstanten eingeführt. Nehmen wir nun der Einfachheit wegen an, es sei die Wirkung der beiden Komponenten

$$\frac{d^2 x}{dt^2} \quad \text{und} \quad \frac{d^2 y}{dt^2}$$

zu untersuchen — ein Fall, der uns hier vorzugsweise angeht — so ergeben sich vier Integrationskonstanten. Dieselben sind durch vier Bedingungen bestimmbar, also jedenfalls dann, wenn für irgend einen Zeitpunkt die Koordinaten

$$x, y$$

und deren Geschwindigkeiten $\frac{dx}{dt}$ und $\frac{dy}{dt}$ gegeben sind. Es muß demnach beispielsweise zwischen der Konstanten $a$ und den genannten Größen eine Relation bestehen, die wir allgemein durch

$$f\left(x, y, \frac{dx}{dt}, \frac{dy}{dt}, a\right) = 0 \dots (m)$$

aussprechen.

Wirken nun auf den bewegten Punkt keine andern Kräfte als diejenigen, unter deren Einflusse $a$ als konstant betrachtet werden kann, so würde im folgenden Zeitdifferentiale die Gleichung übergehen in:

$$f\left[x + \frac{dx}{dt}\, dt, \; y + \frac{dy}{dt}\, dt, \; \frac{dx}{dt} + \frac{d^2 x}{dt^2}\, dt, \; \frac{dy}{dt} + \frac{d^2 y}{dt^2}\, dt, \; a\right] = 0, \dots (n)$$

so daß nach der Regel von den partiellen Differentialen:

$$\left(\frac{df}{dx}\right)\frac{dx}{dt}\,dt + \left(\frac{df}{dy}\right)\frac{dy}{dt}\,dt + \left(df:d\frac{dx}{dt}\right)\cdot\frac{d^2x}{dt^2}\,dt + \left(df:d\frac{dy}{dt}\right)\frac{d^2y}{dt^2}dt = 0$$

ist.

Die beiden ersten Glieder dieses Aggregats bedeuten diejenigen Inkremente, welche nach dem Gesetze der Trägheit eintreten; sie würden mit derselben Stärke auch dann stattfinden, wenn die auf den Punkt einwirkende Kraft ihre Thätigkeit plötzlich einstellte oder wenn umgekehrt zu dieser Kraft noch eine neue hinzuträte. Im ersten Falle würden $\frac{dx}{dt}$ und $\frac{dy}{dt}$ konstant, da ja dann der bewegte Punkt eine gerade Linie (die Tangente) mit konstanter Geschwindigkeit beschreiben würde. — Die beiden anderen Glieder unserer Gleichung stellen denjenigen Zuwachs dar, welcher aus der fortgesetzten Wirkung der oben definierten Kraft entspringt.

Gesellt sich nun aber in jenem ersten Zeitdifferentiale zu dieser Kraft noch eine neue, so erfahren die Größen

$$\frac{dx}{dt} \quad \text{und} \quad \frac{dy}{dt}$$

auch noch ein weiteres Inkrement, das wir durch

$$\frac{d^2\xi}{dt^2}, \quad \text{bezw.} \quad \frac{d^2\eta}{dt^2}$$

bezeichnen wollen.

Mit diesen Inkrementen wird aber die linke Seite der Gleichung ($n$) notwendig von Null verschieden, es sei denn, daß dieselben — wie etwa beim Übergange von der linearen zur elliptischen Flächengeschwindigkeit, den wir bald betrachten werden — sich gegenseitig vernichten. Soll die Gleichung in der vorliegenden Form dessenungeachtet bestehen bleiben, so müssen wir der Konstanten $a$ notwendig eine Veränderung

$$\frac{d\alpha}{dt}\,dt$$

beilegen, wodurch jene neuen Zunahmen ausgeglichen werden, wenn wir nämlich mit $\alpha$ den in einer endlichen Zeit erreichten Zuwachs von $a$ bezeichnen. Wir haben deshalb die unter diesen veränderten Bedingungen stattfindende Gleichung folgendermaßen anzuschreiben:

$$\left\{\left(\frac{df}{dx}\right)\frac{dx}{dt}\,dt + \left(\frac{df}{dy}\right)\frac{dy}{dt}\,dt\right\} + \left\{\left(df:d\,\frac{dx}{dt}\right)\frac{d^2x}{dt^2}dt + \left(df:d\,\frac{dx}{dt}\right)\frac{d^2y}{dt^2}\,dt\right\}$$

$$+\left\{\left(df:d\,\frac{dx}{dt}\right)\cdot\frac{d^2\xi}{dt^2}\,dt + \left(df:d\,\frac{dy}{dt}\right)\frac{d^2\eta}{dt^2}\,dt + \left(\frac{df}{da}\right)\frac{d\alpha}{dt}\cdot dt\right\} = 0\ldots\ldots(n_1)$$

Die beiden Glieder der ersten geschleiften Klammer bedeuten auch hier das Inkrement der Trägheit, die der zweiten
Klammer den Zuwachs infolge der Einwirkung der ursprünglich
angenommenen Kraft, die beiden ersten Glieder der dritten
Klammer stellen die Wirkung der neu hinzugekommenen Kraft
dar und endlich das letzte Glied der dritten Klammer ist notwendig hinzuzufügen, damit auch unter den neuen Verhältnissen
die linke Seite der Gleichung noch der Null gleichgesetzt
werden kann.

Durch Subtraktion der Gleichungen $(n)$ und $(n_1)$ aber
ergiebt sich:

$$\left(df:d\,\frac{dx}{dt}\right)\cdot\frac{d^2\xi}{dt^2} + \left(df:d\,\frac{dy}{dt}\right)\cdot\frac{d^2\eta}{dt^2} + \left(\frac{df}{da}\right)\frac{d\alpha}{dt} = 0\ldots\ldots(1)$$

und diese Gleichung bildet den **analytischen Ausdruck** des
**Princips.** Sie lehrt uns die Geschwindigkeit

$$\frac{d\alpha}{dt}$$

kennen, mit welcher infolge des Auftretens der **neuen** Kräfte

$$\frac{d^2\xi}{dt^2}\quad\text{und}\quad\frac{d^2\eta}{dt^2}$$

die Änderung $\alpha$ der Konstanten $a$ sich vollzieht. Durch eine
**einmalige** Integration würden wir diese Änderung $\alpha$ selbst erhalten — wie schon früher angedeutet worden ist. Es bleibt
nur noch übrig die Gleichung (1) zu integrieren. Dies wird
erleichtert, wenn wir statt der Zeichen

$$\frac{d^2\xi}{dt^2}\quad\text{und}\quad\frac{d^2\eta}{dt^2}$$

wieder die Formen $\dfrac{d^2x}{dt^2}$ und $\dfrac{d^2y}{dt^2}$ einführen, uns dann aber stets

erinnern, daß wir unter diesen Differentialquotienten lediglich
die **neu hinzugekommenen** Kräfte zu verstehen haben. Die
Gleichung (1) verwandelt sich dann in:

$$\left(df:d\,\frac{dx}{dt}\right)\frac{d^2x}{dt^2} + \left(df:d\,\frac{dy}{dt}\right)\frac{d^2y}{dt^2} + \left(\frac{df}{da}\right)\frac{d\alpha}{dt} = 0\ldots\ldots(2).$$

Die eingeklammerten Ausdrücke stellen offenbar die partiellen Differentialquotienten der Fundamentalgleichung (*m*) dar, bezw. nach den ersten Derivierten

$$\frac{dx}{dt}, \frac{dy}{dt}$$

sowie der Konstanten *a*.

Um sie zu erhalten, hat man also nach und nach nur diese drei Gröfsen als veränderlich, alle übrigen als konstant zu betrachten. So würde z. B. aus der Gleichung:

$$x\frac{dy}{dt} - y\frac{dx}{dt} - a = 0$$

folgen:

$$\left(df : d\frac{dy}{dt}\right) = x$$

$$\left(df : d\frac{dx}{dt}\right) = -y$$

$$\left(\frac{df}{da}\right) = -1,$$

so dafs die Gleichung (2) die Form annimmt:

$$x\frac{d^2 y}{dt^2} - y\frac{d^2 x}{dt^2} = \frac{dx}{dt}.$$

In Worten wird demnach das Prinzip so lauten:

**Man suche zunächst für die Konstanten, deren Variation bestimmt werden soll, einen Ausdruck durch die Koordinaten und ihre Geschwindigkeiten**

$$x, \ y, \ \frac{dx}{dt}, \ \frac{dy}{dt}.$$

Wir erhalten damit die Gleichung (*m*). Hierauf differenziere man letztere Gleichung lediglich in Bezug auf die Geschwindigkeiten und die Konstanten. Die resultierende Differentialgleichung ergiebt dann unmittelbar die Änderungsgeschwindigkeit der Konstanten.

Hat man zwei Gleichungen, entsprechend zwei Konstanten *a* und *b*:

$$f\left(x, y, \frac{dx}{dt}, \frac{dy}{dt}, a, b\right) = 0$$

$$F\left(x, y, \frac{dx}{dt}, \frac{dy}{dt}, a, b\right) = 0$$

— ein Fall, der dann eintreten kann, wenn die Isolierung der Konstanten mit zu grofsen Schwierigkeiten verknüpft ist — so bleibt das Verfahren im wesentlichen bestehen. Nur erhält man für die Änderungsgeschwindigkeiten gleichfalls zwei Gleichungen, so dafs schliefslich noch eine Elimination erforderlich wird. — Um dieser auszuweichen, wird man deshalb wohl thun, jede Konstante womöglich abgesondert zu behandeln.

Zuweilen bestehen zwischen den Konstanten einfache Beziehungen, wie zwischen dem Semi-Parameter $p$, der mittleren Entfernung $a$ und der Excentricität $\varepsilon$ die Gleichung

$$p = a(1 - \varepsilon^2).$$

Wenn man in diesem Falle etwa die Variationen von $p$ und $a$ bereits gefunden hat, so läfst sich selbstverständlich die Variation von $\varepsilon$ unmittelbar durch die von $p$ und $a$ ausdrücken — wodurch dann eine besondere Behandlung von $\varepsilon$ entbehrlich wird.

An dem Verfahren ändert sich nichts, wenn die Geschwindigkeiten $\dfrac{dx}{dt}$, $\dfrac{dy}{dt}$ in der ursprünglichen Bahn selbst konstante Werte haben. Dieser Umstand würde vielmehr nur in den Gleichungen $(n)$ und $(n_1)$ den Wegfall von Gliedern bedingen, welche in der Schlufsgleichung (1) ohnehin verschwunden sind. Bei der demnächstigen Ableitung der elliptischen aus der geradlinigen Bahn werden wir einem solchen Falle näher treten.

### III. Anwendung auf das Flächenprinzip der Centralbewegung.

Wenden wir uns nun zu den Anwendungen des Variationsprincips, so werde zunächst ein sehr einfacher Fall betrachtet, nämlich die Änderung der Flächengeschwindigkeit beim Übergange der oskulierenden geradlinigen in die elliptische Bewegung. Bekanntlich versteht man unter Flächengeschwindigkeit die von dem Radiusvektor in der Zeiteinheit durchlaufene Fläche, und nach den Keplerschen Gesetzen ist dieselbe konstant. Das wäre also nun nachzuweisen.

Wir nehmen zu dem Ende an, der Planet stehe bei Beginn der Zeit $t$ im Punkte $P$ (s. Fig. 1) und die Kraft der im Ursprunge $O$ befindlichen Sonne höre in diesem Augenblicke plötzlich auf zu wirken. Es würde alsdann der Planet in geradliniger Bahn mit konstanter Geschwindigkeit

$$PP_1 = P_1P_2 = P_2P_3 \text{ u. s. f.}$$

fortschreiten. Aber auch seine, durch die Dreiecksflächen

$$OPP_1, \quad OP_1P_2 \text{ u s. w.}$$

dargestellten Flächengeschwindigkeiten wären gleich, d. h. konstant, da ja die Dreiecke sämtlich gleiche Grundlinie und Höhe haben — eine Eigenschaft der geradlinigen Bewegung, die übrigens auch sofort auf analytischem Wege erkannt wird. Denn da bei dieser Bewegung die Koordinateninkremente $dx$ und $dy$ konstant sind, so ist offenbar das Differential des vom Radiusvektor im Zeitelemente beschriebenen unendlich kleinen Doppeldreiecks

$$x\,dy - y\,dx,$$

nämlich
$$dx\,dy - dy\,dx = 0.$$

Es sind mithin die in jedem einzelnen Zeitelemente, demnach auch in gleichen endlichen Zeiten vom Vektor überstrichenen Flächen einander gleich.

Für die geradlinige Bewegung ist folglich die doppelte Flächengeschwindigkeit $c$ eine Konstante. Drücken wir dieselbe — den Forderungen unseres Prinzips gemäfs — durch die Koordinaten und Geschwindigkeiten aus, so haben wir hier unmittelbar:

$$c = x\frac{dy}{dt} - y\frac{dx}{dt}.$$

Diese Gleichung entspricht also dem Falle, wo im Ursprunge $O$ keine Anziehungskraft thätig ist.

Nehmen wir nun aber an, im Ursprunge $O$ beginne die Attraktion der Sonne auf den Planeten und umgekehrt wiederum zu wirken, so müssen wir — infolge des Auftretens dieser neuen Kraft — die bisherige Konstante $c$ zunächst als variabel betrachten. Indem wir den Zuwachs derselben während einer unbestimmten endlichen Zeit durch $\gamma$ bezeichnen, erhalten wir für die Geschwindigkeit dieser Zunahme nach dem Variationsprinzip:

$$\frac{d\gamma}{dt} = x\frac{d^2y}{dt^2} - y\frac{d^2x}{dt^2}.$$

Es sind aber nach dem Obigen die neu auftretenden Kräfte

$$\frac{d^2y}{dt^2} = -\frac{f_{(1+m)}\,y}{r^3}$$

$$\frac{d^2x}{dt^2} = -\frac{f_{\,1+m)}\,x}{r^3},$$

mithin

$$\frac{d\gamma}{dt} = -\frac{f_{(1+m)}\,yx}{r^3} + \frac{f_{(1+m)}\,yx}{r^3} = 0 \ldots \ldots (l)$$

Die Geschwindigkeit $\frac{d\gamma}{dt}$ und also auch das Inkrement

$$\frac{d\gamma}{dt} \cdot dt$$

ist demnach zunächst in dem der Oskulation folgenden Zeitelemente, dann aber auch — weil die Gleichung $(l)$ ganz allgemein in allen späteren Zeitelementen besteht — für alle Zukunft = Null, d. h. die Flächengeschwindigkeit ist auch bei gegenseitiger Anziehung von Planet und Sonne konstant, nämlich gleich der Flächengeschwindigkeit des der Einwirkung der Sonne entzogenen in der Tangente der Bahn sich fortbewegenden Planeten.

Übrigens ergiebt sich aus der vorstehenden Betrachtung noch weiter, daſs die Beständigkeit der Flächengeschwindigkeit keineswegs an das Gravitationsgesetz gebunden ist. Vielmehr wird dieselbe fortdauern, wenn auch die Stärke der Anziehung eine beliebig andere Funktion des Radiusvektors wäre, wenn man z. B. hätte:

$$\frac{d^2y}{dt^2} = F(r) \cdot \frac{y}{r}$$

$$\frac{d^2y}{dt^2} = F(r) \cdot \frac{y}{r},$$

wo durch $F$ eine willkürliche Funktion angedeutet wird. Denn auch in diesem Falle würde offenbar für alle Zeiten

$$\frac{d\gamma}{dt} = 0$$

sein. Wir haben demnach mit Hilfe unseres Prinzips (also ohne Anwendung einer eigentlichen Integration) den ersten Fundamentalsatz nachgewiesen: Wenn Planet und Sonne sich nach irgend einem von ihrem wechselseitigen Abstande, also nach dem Radiusrektor $r$, abhängigen Gesetze anziehen, ist die Flächengeschwindigkeit der Planetenbewegung konstant. Oder in Form einer oft⋅angewendeten Gleichung:

$$x\,dy - x\,dx = r^2\,d\psi = c\,dt \ldots\ldots (s),$$

wenn $c$ die doppelte konstante Flächengeschwindigkeit, also $c\,dt$ den doppelten im Zeitelement beschriebenen Elementarsektor bedeutet.

## V. Entwickelung der elliptischen Bahn aus der oskulierenden geradlinigen Bewegung.

Denken wir uns das Koordinatencentrum $O$ (Fig. 1) zuerst wieder frei von anziehender Masse, so ist, wie schon zu Anfang unserer Untersuchung erwähnt, die Polargleichung der tangentialen Bahn:

$$r = \frac{q}{\sin \psi - m \cos \psi},$$

während die Konstanten $m$ und $q$ von den oskulierenden Koordinaten und Geschwindigkeiten $\left(x_0, y_0, \dfrac{dx_0}{dt}, \dfrac{dy_0}{dt}\right)$ durch die Relationen abhängen:

$$m = \frac{dy_0}{dt} : \frac{dx_0}{dt}; \quad q = \left(-x_0 \frac{dy_0}{dt} + y_0 \frac{dx_0}{dt}\right) : \frac{dx_0}{dt} = -c : \frac{dx_0}{dt},$$

da wir bereits wissen, dafs der Klammerausdruck eine Konstante und zwar die Flächengeschwindigkeit bedeutet, gleichviel ob das Koordinatencentrum Sitz einer anziehenden Kraft ist oder nicht.

Am elegantesten gestaltet sich nun — wie die Versuche lehren — die Konstantenvariation, wenn wir der Polargleichung die Form geben:

$$r = \frac{1}{\dfrac{1}{q} \sin \psi - \dfrac{m}{q} \cos \psi}.$$

Alsdann wird:

$$\frac{1}{q} = -\frac{dx}{c\,dt}$$

$$\frac{m}{q} = -\frac{dy}{c\,dt},$$

wo $\dfrac{dx}{dt}$ und $\dfrac{dy}{dt}$ die Geschwindigkeiten der Koordinaten in einem beliebig gewählten Oskulationspunkte der Bahn bezeichnen und

2*

Konstante darstellen, wenn der Koordinatenmittelpunkt ohne Anziehung, die Bahn also eine Gerade ist.

Es beginne in jenem Punkte nun wieder die Anziehung der Sonne zu wirken. Nennen wir

$\triangle$ die alsdann eintretende Änderung von $\dfrac{1}{q}$

$\triangle_1$ die Änderung von $\dfrac{m}{q}$,

so hat man nach dem Variationsprinzipe:

$$\frac{d\triangle}{dt} = -\frac{1}{c}\frac{d^2 x}{dt^2} = +\frac{f_{(1+m)}}{c}\cdot\frac{x}{r^3}$$

$$\frac{d\triangle_1}{dt} = -\frac{1}{c}\frac{d^2 y}{dt^2} = +\frac{f_{(1+m)}}{c}\cdot\frac{y}{r^3}.$$

Mithin ist:

$$\triangle = \int \frac{d\triangle}{dt}\cdot dt = \frac{f_{(1+m)}}{c}\int \frac{x\,dt}{r^3}$$

$$\triangle_1 = \int \frac{d\triangle_1}{dt}\cdot dt = \frac{f_{(1+m)}}{c}\int \frac{y\,dt}{r^3}.$$

Da aber, wie bereits erwiesen:

$$c\,dt = r^2\,d\psi, \text{ also } dt = \frac{1}{c}r^2\,d\psi$$

$$x = r\cos\psi$$
$$y = r\sin\psi, \text{ so folgt}$$

$$\triangle = \frac{f_{(1+m)}}{c^2}\int \cos\psi\,d\psi = \frac{f_{(1+m)}}{c^2}\sin\psi + K$$

$$\triangle_1 = \frac{f_{(1+m)}}{c^2}\int \sin\psi\,d\psi = -\frac{f_{(1+m)}}{c^2}\cos\psi + K_1.$$

Damit ergiebt sich aber für die gesuchte Gleichung der Bahn:

$$r = \cfrac{1}{\left(\dfrac{1}{q}+\triangle\right)\sin\psi - \left(\dfrac{p}{q}+\triangle_1\right)\cos\psi}$$

$$= \cfrac{1}{\left(\dfrac{1}{q}+K+\dfrac{f_{(1+m)}}{c^2}\sin\psi\right)\sin\psi - \left(\dfrac{m}{q}+K_1-\dfrac{f_{(1+m)}}{c^2}\cos\psi\right)\cos\psi}\quad\cdots(\alpha).$$

Dieselbe unterscheidet sich — dem Wesen unserer Methode entsprechend — nur dadurch von der Gleichung der Tangente, dafs die Konstanten

$$\frac{1}{q} \quad \text{und} \quad \frac{m}{q}$$

noch einen veränderlichen Zuwachs erhalten haben.

Ordnet man nach Konstanten und Veränderlichen, so erhält man:

$$r = \frac{1}{\frac{f(1+m)}{c^2} + \left(\frac{1}{q} + K\right)\sin\psi - \left(\frac{m}{q} + K_1\right)\cos\psi}\,.$$

Faſst man endlich statt der Integrationskonstanten $K$ und $K_1$ zwei neue Arbiträre $C$ und $\lambda$ vermöge der Gleichungen ein:

$$\frac{1}{q} + K = -C\sin\lambda$$

$$\frac{m}{q} + K_1 = -C\cos\lambda$$

und dividiert auſserdem Zähler und Nenner mit $\frac{f(1+m)}{c^2}$, so geht die Bahngleichung über in:

$$r = \frac{\dfrac{c^2}{f(1+m)}}{1 + \dfrac{Cc^2}{f(1+m)}\cos(\psi + \lambda)} \quad \ldots \ldots \ (\alpha).$$

In dieser Gestalt aber erkennt man sofort die Gleichung eines **Kegelschnitts**, dessen

$$\text{Semiparameter } p = \frac{c^2}{f(1+m)}$$
$$\text{Exzentrizität } \varepsilon = C \cdot p$$
$$\text{wahre Anomalie } \varphi = \psi + \lambda,$$

so daſs also die gewählte Achse der Abscissen mit dem Radius des Perihels (der groſsen Achse) den Winkel $\lambda$ einschlieſst.

## VI. Bestimmung der Konstanten.

Es liegt uns nun noch ob, die Konstanten $C$ und $\lambda$ zu bestimmen, und da dieselben von den ursprünglichen Konstanten $K$ und $K_1$ abhängen, so müssen wir zunächst die Werte der letzteren ermitteln.

Betrachten wir die Gleichung $(\alpha)$ des Kegelschnitts, so unterliegt dieselbe — wie aus der gesamten Entwickelung hervorgeht — der Bedingung, daſs sie in die Gleichung der Tangente

$$r = \cfrac{1}{\dfrac{1}{q}\sin\psi - \dfrac{m}{q}\cos\psi}$$

für den beliebig gewählten Oskulationszeitpunkt übergehen muſs. Nennen wir also $\psi_0$
den Wert des Winkels $\psi$ (s. Fig. 1) im Momente der Oskulation, so ist — zur Erfüllung dieser Bedingung —

$$K = -\frac{f_{(1+m)}}{c^2}\sin\psi_0 = -\frac{f_{(1+m)}}{c^2}\cdot\frac{y_0}{r_0}$$

$$K_1 = +\frac{f_{(1+m)}}{c^2}\cos\psi_0 = +\frac{f_{(1+m)}}{c^2}\cdot\frac{x_0}{r_0}$$

zu setzen. Hieraus folgt ferner:

$$C^2 = \left(\frac{1}{q}+K\right)^2 + \left(\frac{m}{q}+K_1\right)^2 = \frac{v_0^2}{c^2}+\frac{1}{p^2}-\frac{2}{p\,r_0}$$

wenn man bei der Reduktion die oskulierende Bahngeschwindigkeit

$$= v_0 = \frac{ds_0}{dt} = \sqrt{\left(\frac{dx_0}{dt}\right)^2 + \left(\frac{dy_0}{dt}\right)^2},$$

ferner $\quad \dfrac{f_{(1+m)}}{c^2} = \dfrac{1}{p},\ \dfrac{1}{q} = -\dfrac{dx_0}{c\,dt},\ \dfrac{m}{q} = -\dfrac{dy_0}{c\,dt}$

und

$$x_0\frac{dy_0}{dt} - y_0\frac{dx_0}{dt} = c \text{ setzt.}$$

Da die Exzentrizität der Bahn nach Obigem $= C\cdot p$, so hat man:

$$\varepsilon = \sqrt{1+\frac{p}{f_{(1+m)}}\cdot v_0^2 - \frac{2p}{r_0}}.$$

Es ist demnach die Bahn:

eine Parabel ($\varepsilon = 1$), wenn $\dfrac{v_0^2}{f_{(1+m)}} - \dfrac{2}{r_0} = 0$,

eine Hyperbel ($\varepsilon > 1$), wenn $\dfrac{v_0^2}{f_{(1+m)}} - \dfrac{2}{r_0} > 0$,

eine Ellipse ($\varepsilon < 1$), wenn $\dfrac{v_0^2}{f_{(1+m)}} - \dfrac{2}{r_0} < 0$.

Was ferner den Winkel $\lambda$ betrifft, von welchem die Lage des Perihels (des Anfangspunkts der wahren Anomalie $\psi + \lambda = \varphi$) abhängt, so ergiebt aus dem Vorhergehenden sofort

$$\mathrm{tg}\,\lambda = \frac{\dfrac{1}{q}+K}{\dfrac{m}{q}+K_1} \quad \ldots \ldots (i).$$

Weil $\frac{1}{q}$, $\frac{m}{q}$, $K$ und $K_1$ bekannt sind, so ist auch die Lage des Perihels, oder vielmehr die wahre Anomalie ($\psi + \lambda$) aus den oskulierenden Koordinaten und ihren Geschwindigkeiten, nämlich

$$x_0, \ y_0, \ \frac{dx_0}{dt}, \ \frac{dy_0}{dt}$$

ohne Weiteres bestimmbar.

## VII. Die anderen Bahnelemente.

Obgleich die vorstehenden Relationen sich zunächst auf die Koordinaten und Geschwindigkeiten im Zeitpunkte der Oskulation beziehen, so haben dieselben doch allgemeine Giltigkeit, da ja dieser Punkt in der zu bestimmenden Bahn ganz beliebig gewählt werden kann. Die Gleichungen

$$f_{(1+m)} \, p = c^2 \ \ldots\ldots (1)$$

$$\varepsilon^2 = 1 + \frac{pv^2}{f_{(1+m)}} - \frac{2p}{r} \ \ldots\ldots (2)$$

drücken deshalb ganz allgemeine Eigenschaften der in Kegelschnitten erfolgenden Planetenbewegung aus.

Da ferner in der Ellipse der Semiparameter

$$p = a(1 - \varepsilon^2), \text{ so hat man auch:}$$

$$\frac{1}{a} = \frac{2}{r} - \frac{v^2}{f_{(1+m)}} \ \ldots\ldots (3)$$

jene merkwürdige Gleichung, welche lehrt, daß die Hauptachse $2a$ der Ellipse nur von $r$ und $v$, nicht aber von der Richtung der Geschwindigkeit $v$ abhängig ist.

Weiter ergiebt sich aus Gleichung (1)

$$f_{(1+m)} \, ap = f_{(1+m)} \, b^2 = ac^2 = a \cdot \frac{4a^2 b^2 \pi^2}{U^2},$$

wenn $U$ die Umlaufszeit des Planeten und $b$ die kleine Achse bezeichnet. Denn da $c$ die doppelte in der Zeiteinheit durchlaufene Fläche, $ab\pi$ aber die Ellipsenfläche darstellt, so ist

$$c = \frac{2ab\pi}{U}.$$

Man hat demnach:

$$f_{(1+m)} = a^3 \left(\frac{2\pi}{U}\right)^2.$$

Nennt man also den in der Zeiteinheit durchlaufenen Winkel
(die s. g. mittlere Bewegung) $n$, so folgt die bemerkenswerte
Gleichung:

$$f_{(1+m)} = k^2{}_{(1+m)} = n^2 a^3 \ldots \ldots (4).$$

Dieselbe Relation in der ursprünglichen Form lautet

$$f_{(1+m)}\, U^2 = 4\pi^2 a^3.$$

Für eine zweite Planetenbahn ist mithin:

$$f_{(1+m_1)}\, U_1{}^2 = 4\pi^2\, a_1{}^3,$$

so daß

$$\frac{U^2{}_{(1+m)}}{U_1{}^2{}_{(1+m_1)}} = \frac{a^3}{a_1{}^3},$$

eine Beziehung, welche als der Ausdruck des verbesserten
dritten Keplerschen Gesetzes zu betrachten ist. In der
ursprünglichen (weniger korrekten) Form lautet dieses Gesetz
bekanntlich:

$$U^2 : U_1{}^2 = a^3 : a_1{}^3.$$

### Die Keplersche Gleichung.

Es bleibt nun insbesondere noch übrig, die wahre Anomalie
$$\varphi$$
als Funktion der seit dem Periheldurchgange (wo $\varphi = 0$) verflossenen Zeit $t$ darzustellen. Zu dem Zwecke müssen wir auf
die Gleichung

$$r^2 d\varphi = cdt$$

zurückgreifen und $r^2$ durch die Polargleichung eliminieren, wodurch sich ergiebt:

$$\frac{p^2\, d\varphi}{(1 + \varepsilon \cos \varphi)^2} = cdt,$$

oder, wenn man vermöge einer Verbindung der Gleichungen (1)
und (4), $c$ durch $n$ ersetzt und die Funktionen der halben Anomalie einführt:

$$n\, dt = \frac{1}{(1-\varepsilon)^{\frac{3}{2}}(1+\varepsilon)^2} \cdot \frac{d\varphi}{\cos^4\frac{\varphi}{2}\left[1+\frac{1-\varepsilon}{1+\varepsilon}\,\mathrm{tg}^2\frac{\varphi}{2}\right]^2}.$$

Wird, zur Erleichterung der Integration, ein durch die Gleichung

$$\mathrm{tg}^2\frac{u}{2} = \frac{1-\varepsilon}{1+\varepsilon}\,\mathrm{tg}^2\frac{\varphi}{2} \ldots \ldots (5)$$

definierter, exzentrische Anomalie genannter Hilfswinkel
$$u$$

zu Hilfe genommen, so erhält man nach einigen leichten Reduktionen

$$ndt = (1 - \varepsilon \cos u)du,$$

woraus durch Integration die s. g. **Keplersche Gleichung** folgt:

$$nt = u - \varepsilon \sin u \ldots \ldots (6).$$

Man hat so zunächst $u$, durch Vermittelung der Gleichung (5) aber auch $\varphi$ als Funktion der Perihelzeit $t$ — und umgekehrt $t$, wenn $u$, bezw. $\varphi$ gegeben ist.

Wir kennen nun

die mittlere Entfernung $= a$

die Exzentrizität $= \varepsilon$

den durch die Gleichung ($i$) des Abschnitts VI berechneten

Winkel $\lambda$,

drei Gröfsen, durch welche die Dimension und die Lage der Ellipse gegen die Koordinatenachsen bestimmt sind, wenn man bedenkt, dafs der eine Brennpunkt im Ursprunge derselben liegt.

Aus dem gegebenen, zur Zeit der Oskulation stattfindenden Winkel $\psi_0$ (s. Fig. 1) in Verbindung mit $\lambda$ wird erhalten die wahre Anomalie im Zeitpunkte der Oskulation

$$\varphi_0 = \psi_0 + \lambda,$$

sodann aus $\varphi_0$ die excentrische Anomalie $u_0$ und hieraus die mittlere Anomalie

$$nt_0 = k\sqrt{\frac{1+m}{a^3}} \cdot t_0$$

— alles zur Zeit der Oskulation.

Man nennt die Gröfsen

$$a, \ \varepsilon, \ \lambda, \ nt_0 \text{ oder auch } \varphi_0$$

die **Elemente der elliptischen Bewegung.** Sobald sie bekannt sind, lassen sich die Polarkoordinaten

$r$ und $\varphi$

als reine Funktionen der seit dem Periheldurchgange verflossenen Zeit angeben.

Eliminiert man nämlich mit Hilfe der Gleichung (5) die wahre Anomalie aus der Polargleichung der Ellipse, so erhält man:

$$r = a(1 - \varepsilon \cos u),$$

oder

$$u = \arccos \frac{a-r}{a\varepsilon}.$$

Durch Substitution dieses Wertes in die Keplersche Gleichung (6) folgt:

$$\text{arc cos}\, \frac{a-r}{a\varepsilon} - \frac{\sqrt{2ar-r^2-ap}}{a} = n(t+t_0) = k\sqrt{\frac{1+m}{a^3}}(t+t_0)\ldots(7).$$

Entnimmt man andererseits der Gleichung (5):

$$u = 2\,\text{arc tg}\left[\sqrt{\frac{1-\varepsilon}{1+\varepsilon}}\cdot \text{tg}\,\frac{\varphi}{2}\right]$$

und substituiert in die Keplersche Gleichung, so wird:

$$2\,\text{arc tg}\left[\sqrt{\frac{1-\varepsilon}{1+\varepsilon}}\,\text{tg}\,\frac{\varphi}{2}\right] - \varepsilon\sin\left\{2\,\text{arc tg}\left[\sqrt{\frac{1-\varepsilon}{1+\varepsilon}}\,\text{tg}\,\frac{\varphi}{2}\right]\right\} = n(t+t_0)\cdot(8).$$

In den Gleichungen (7) und (8) erscheinen die Polarkoordinaten

$$r \text{ und } \varphi$$

als implicite Funktionen der seit der Oskulation verflossenen Zeit $t$ oder auch der Perihelzeit $(t+t_0)$.

## VIII. Konstruktion der Bahnellipse.

Die relative Bahn eines Planeten um die Sonne, auch wenn ihre elliptische Natur und die Konstanz der Flächengeschwindigkeit erkannt ist, kann doch nicht ohne Weiteres aus den Koordinaten und Geschwindigkeiten

$$x,\, y,\, \frac{dx}{dt},\, \frac{dy}{dt}$$

eines Punktes konstruiert werden. Denn dieselbe ist, unter übrigens gleichen Umständen, auch eine Funktion der Planetenmasse $m$ und des Erfahrungsfaktors $f$. Die Konstruktion, wenn man es überhaupt so nennen will, soll hier auch nur deshalb kurz berührt werden, um durch eine einfache geometrische Betrachtung zu zeigen, inwiefern die Exzentrizität und Lage des Perihels von der Richtung der momentanen Planetenbewegung beeinfluſst ist, während die mittlere Entfernung, wie wir gesehen haben, von dieser Richtung unabhängig ist.

Nimmt man den mittleren Sonnentag zur Einheit der Zeit, die mittlere Entfernung der Erde von der Sonne zur Einheit der Längen und die Sonnenmasse zur Einheit der Massen, so hat man nach der an früherer Stelle begründeten Gleichung

$$f_{(1+m)} = a^3 \left(\frac{2\pi}{U}\right)^2,$$

da die siderische Umlaufszeit der Erde

$$U = 365{,}256384 \text{ mittl. Tagen,}$$
$$f_{(1+m)} = (0{,}0172021)^2.$$

Weil die Masse $m$ der Erde in Teilen der Sonnenmasse $= 0{,}00000282$, so ist auch der Wert der Krafteinheit

$$f = k^2 = (0{,}0172021)^2,$$

also die Gaufssche Konstante

$$k = 0{,}0172021$$

zu setzen, wenigstens wenn man sich mit einer Genaunigkeit von 7 Stellen begnügt. Wählen wir diese Krafteinheit und nehmen ferner an, die grofse Achse sei vermöge der Gleichung

$$\frac{1}{a} = \frac{2}{r} - \frac{v^2}{f_{(1+m)}}$$

bestimmt worden, in welcher $r$ und $v$ unmittelbar durch

$$x_0,\ y_0,\ \frac{dx_0}{dt},\ \frac{dy_0}{dt}$$

gegeben sind, so ist die Ellipse leicht konstruierbar.

Denn aus $x_0,\ y_0$ wird der Ort $P$ (s. Fig. 4) des Planeten und dessen Radiusvektor $r$ gefunden, während aus

$$\frac{dy_0}{dt} : \frac{dx_0}{dt} = dy_0 : dx_0$$

die Richtung $NM$ der tangentialen Bewegung sich ergiebt. Da nun der zweite Vektor $\varrho$ mit der Tangente bekanntlich

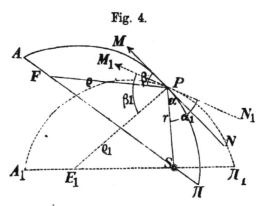

Fig. 4.

denselben Winkel bildet und die Summe $r + \varrho$ der Leitstrahlen $= 2a$, so ist auch der Vektor $\varrho$ nach Lage und Gröfse, mithin der zweite Brennpunkt $F$ gegeben. Wir kennen nun die Lage und Gröfse der grofsen Achse $a$ sowie die doppelte Excentricität $2e$, a.so die zur Konstruktion erforderlichen Elemente  Das Perihel liege in diesem Falle in $\varPi$.

Ändert sich die Bewegungsrichtung des Planeten — während Ort und Geschwindigkeit fortbestehen — geht beispielsweise $NM$ in $N_1 M_1$ über, so werden auch die Winkel der Leitstrahlen von den vorigen verschieden ausfallen. Der zweite Brennpunkt rückt etwa nach $F_1$; die der Gröfse nach unveränderte Apsidenlinie (grofse Achse) nimmt die Lage von $A_1 S$ an. Es verwandelt sich somit die Exzentrizität $FS$ in $F_1 S$ und das Perihel geht von $\Pi$ nach $\Pi_1$. Die Bewegungsrichtung hat demnach zwar keinen Einflufs auf die Gröfse der mittleren Entfernung und folglich auch nicht auf die mittlere Umlaufszeit, wohl aber auf die Exzentrizität und den Ort der Apsiden, des Perihels und Aphels.

## IX. Zahlenbeispiel: *Bahn der Ceres.*

Um die vorhergehenden Entwickelungen, insbesondere die Bestimmung der Konstanten, durch ein Beispiel zu erläutern, wollen wir

*die Bahn der Ceres*

behandeln und zwar auf Grund ihrer, am 30. März 1810, abends $8^h$ Göttinger Zeit, oskulierenden Koordinaten und Geschwindigkeiten, nämlich:

$$x_0 = +1{,}732505 \quad \Big| \quad \frac{dx_0}{dt} = -0{,}0086133$$

$$y_0 = 2{,}064719 \quad \Big| \quad \frac{dy_0}{dt} = +0{,}0062012.$$

### 1. *Charakter der Bahn.*

Da

$$v_0{}^2 = \left(\frac{dx_0}{dt}\right)^2 + \left(\frac{dy_0}{dt}\right)^2 = 0{,}00011264$$
$$\log r_0 = 0{,}43061$$
$$\log k = 8{,}23558 - 10,$$

so nimmt der Ausdruck

$$\frac{v_0{}^2}{k^2} - \frac{2}{r_0} \quad \text{den Wert} \ -0{,}36137$$

an. Er ist also negativ und die Bahn eine **Ellipse**.

## 2. *Flächengeschwindigkeit.*

Die doppelte Flächengeschwindigkeit ist:

$$c = x_0 \frac{dy_0}{dt} - y_0 \frac{dx_0}{dt} = 0,02853.$$

## 3. *Parameter.*

Für den Semiparameter folgt hiernach:

$$p = \frac{c^2}{k^2} = 2,75023.$$

## 4. *Die Integrationskonstanten.*

Es ergeben sich die Werte:

$$K = -\frac{k^2}{c^2} \cdot \frac{y_0}{r_0} = -0,27854$$

$$K_1 = +\frac{k^2}{c^2} \cdot \frac{x_0}{r_0} = +0,23372,$$

und da:

$$\frac{1}{q} = -\frac{dx_0}{c\,dt} = +0,30193$$

$$\frac{m}{q} = -\frac{dy_0}{c\,dt} = -0,21738,$$

so wird:

$$\log C = \log \sqrt{\left(\frac{1}{q}+K\right)^2 + \left(\frac{m}{q}+K_1\right)^2} = 8,45534 - 10$$

$$\log \mathrm{tg}\,\lambda = \log \frac{\frac{1}{q}+K}{\frac{m}{q}+K_1} = 0,15578$$

$$\lambda = \begin{cases} 55^0\ 3'\ 45'' \\ 235^0\ 3'\ 45''. \end{cases}$$

Ob die Apsidenlinie den einen oder den anderen Winkel mit der Achse der $x$ bildet, kann erst bei Bestimmung der wahren Anomalie entschieden werden.

## 5. *Hauptachse.*

Aus:

$$\frac{1}{a} = \frac{2}{r_0} - \frac{v_0^2}{k^2}$$

folgt

$$\log a = 0,44205.$$

### 6. *Exzentrizität.*

Die Exzentrizität hat den Wert
$$\varepsilon = C \cdot p = 0{,}07847.$$

### 7. *Wahre Anomalie.*

Man erhält:
$$\varphi_0 = \psi_0 + \lambda = 285^0 \, 3' \, 45''.$$

Aus $\sin \psi_0 = \dfrac{y_0}{r_0}$ folgt nämlich $\psi_0 = 50_0$. Da nun ferner nach der Polargleichung

$$r\varepsilon \cos \varphi = P - r = 2{,}7502 - 2{,}6953 = 0{,}0549,$$

so ist im vorliegenden Falle $r\varepsilon \cos \varphi$, demnach auch $\cos \varphi$ positiv. Es kann mithin

$$\varphi_0 \text{ nicht } = 50^0 + 55^0 \, 3' \, 45'',$$

sondern muſs $\qquad = 50^0 + 235^0 \, 3' \, 45'' = 285^0 \, 3' \, 45''$

gesetzt werden. Damit sind nun aber die vier Elemente der Bahn bestimmt, nämlich:

$$a, \; \varepsilon, \; \lambda \text{ und } \varphi_0.$$

Durch $a$ und $\varepsilon$ kennt man die Dimensionen der Bahn, durch den Winkel $\lambda$ ihre Lage gegen die gewählte Achse der $x$, (also die Lage des Perihels), durch $\varphi_0$ den Ort der Ceres im Zeitpunkte der Oskulation.

Wünscht man auch noch die mittlere Bewegung $n$ und die Zeit $t$ des Periheldurchgangs zu wissen, so erhält man die erstere durch die Gleichung:

$$n^2 \, a^3 = k^2$$

und, nach Berechnung der excentrischen Anomalie $u$ aus der Definitionsgleichung

$$\operatorname{tg} \frac{u_0}{2} = \sqrt{\frac{1-\varepsilon}{1+\varepsilon}} \cdot \operatorname{tg} \frac{\varphi_0}{2},$$

die Perihelzeit $t$ mit Hilfe der Keplerschen Gleichung:

$$nt = u - \varepsilon \sin u.$$

## X. Erster Nachtrag: *Die Geschwindigkeiten der Koordinaten.*

Die Geschwindigkeiten der Koordinaten finden im Gebiete der theoretischen Astronomie und ganz besonders in den vorhergehenden Entwickelungen eine so ausgedehnte Verwendung, daſs es wohl angezeigt erscheint, die wichtigsten hierher gehörigen Beziehungen, noch kurz zu erwähnen.

### 1. *Geschwindigkeiten der Polarkoordinaten r und ψ.*

Nach dem Früheren ist die doppelte Flächengeschwindigkeit

$$= r^2 \cdot \frac{d\psi}{dt} = k \sqrt{p}$$

(wenn man die Masse des Planeten neben der Sonnenmasse vernachlässigt, hingegen $= k\sqrt{1+m}\sqrt{p}$, wenn dieselbe berücksichtigt wird), so daſs man sofort für die **Geschwindigkeit der wahren Anomalie** in einem Punkte der Bahn, dessen Vektor $= r$, erhält:

$$\frac{d\psi}{dt} = \frac{k\sqrt{p}}{r^2} \quad \ldots \ldots \text{(I)}.$$

Ferner folgt aus der Polargleichung $r(1+\varepsilon\cos\varphi)=p$ die **Geschwindigkeit des Vektors**

$$\frac{dr}{dt} = \frac{\varepsilon\,r^2}{p} \sin\varphi \frac{d\varphi}{dt}.$$

Da

$$\frac{d\varphi}{dt} = \frac{d\psi}{dt} = \frac{k\sqrt{p}}{r^2},$$

so verwandelt sich die Gleichung in:

$$\frac{dr}{dt} = \frac{k\varepsilon\sin\varphi}{\sqrt{p}} \quad \ldots \ldots \text{(II)},$$

wodurch also die Geschwindigkeit des Vektors als Funktion der wahren Anomalie ausgedrückt ist.

### 2. *Geschwindigkeiten der Parallelkoordinaten*

Aus
$$x = r\cos\psi$$
$$y = r\sin\psi$$

ergiebt sich:

$$\frac{dx}{dt} = -r\sin\psi\frac{d\psi}{dt} + \cos\psi\frac{dr}{dt} = -\frac{k\sqrt{p}}{r}\sin\psi + \frac{k\varepsilon}{\sqrt{p}}\cos\psi\sin\varphi. \text{(III)}$$

$$\frac{dy}{dt} = -r\cos\psi\frac{d\psi}{dt} + \sin\psi\frac{dr}{dt} = +\frac{k\sqrt{p}}{r}\cos\psi + \frac{k\varepsilon}{\sqrt{p}}\sin\psi\sin\varphi. \text{(IV)}$$

Die Gleichungen (I) bis (IV), deren Erweiterung auf ein dreiachsiges System keinen Schwierigkeiten unterliegt, bilden die

Grundlage für die Rechnung der Geschwindigkeiten und wurden auch bei dem obigen Zahlenbeispiele gebraucht, um aus den Elementen der Ceresbahn die Data der Rechnung abzuleiten, nachdem der Winkel $\psi$ willkürlich $= 50^0$ angenommen worden war. — Dieselben lassen sich mannigfach kombinieren, z. B.:

$$\cos \psi \frac{dx}{dt} + \sin \psi \frac{dy}{dt} = \frac{k\,\varepsilon}{\sqrt{p}} \sin \varphi.$$

## XI. Zweiter Nachtrag.

Statt die Gleichung der elliptischen Bahn an die Polargleichung der oskulierenden Geraden anzuschließen — wie dies im Vorhergehenden geschehen ist — kann dieselbe auch aus der Gleichung in Parallelkoordinaten entwickelt werden, was in mancher Beziehung vorzuziehen ist.

Für die Gleichung der Bahntangente hat man nämlich:

$$\frac{dy_0}{dt} x - \frac{dx_0}{dt} y = c,$$

wo $\frac{dy_0}{dt}$, $\frac{dx_0}{dt}$ die oskulierenden, zunächst als konstant zu betrachtenden Geschwindigkeiten bedeuten. Es ist dies nichts anderes als die Gleichung für die doppelte (erwiesenermaßen auch in der elliptischen Bewegung konstante) Flächengeschwindigkeit $c$ und einerlei mit der durch Elimination von $t$ sich ergebenden Relation (vergl. Blatt 1):

$$y = \frac{dy_0}{dx_0} x + \frac{y_0\, dx_0 - x_0\, dy_0}{dx_0}.$$

Läßt man nun die konstanten Geschwindigkeiten variieren, so folgt als Gleichung der neuen Bahn:

$$\left( \frac{dy_0}{dt} + \int \frac{d^2y}{dt^2}\, dt \right) x - \left( \frac{dx_0}{dt} + \int \frac{d^2x}{dt^2}\, dt \right) y = c.$$

Die Integrale können aber, wenn

$$\frac{d^2 y}{dt^2} = -\frac{f_{(1+m)}\, y}{r^3}$$

$$\frac{d^2 x}{dt^2} = -\frac{f_{(1+m)}\, x}{r^3}$$

gesetzt wird, ohne Weiteres angegeben werden. Man erhält dann zunächst:

$$\left(\frac{dy_0}{dt} + \frac{f_{(1+m)}}{c}\cos\psi + K_1\right)x - \left(\frac{dx_0}{dt} - \frac{f_{(1+m)}}{c}\sin\psi + K\right)y = c$$

$$K_1 = -\frac{f_{(1+m)}}{c}\cos\psi_0$$

$$K = +\frac{f_{(1+m)}}{c}\sin\psi_0,$$

woraus durch die Substitution

$$\cos\psi = \frac{x}{\sqrt{x^2+y^2}}$$

$$\sin\psi = \frac{y}{\sqrt{x^2+y^2}}$$

$$\frac{dy_0}{dt} - \frac{f_{(1+m)}}{c}\cos\psi_0 = C_1$$

$$\frac{dx_0}{dt} + \frac{f_{(1+m)}}{c}\sin\psi_0 = C$$

gefunden wird:

$$\left(\frac{f_{(1+m)}}{p} - C_1^2\right)x^2 + \left(\frac{f_{(1+m)}}{p} - C^2\right)y^2 - 2CC_1\,xy + 2cC_1\,x + 2cCy = c^2,$$

also ebenfalls die Gleichung einer **Kurve zweiter Ordnung**, deren Diskussion genau nach der früher gegebenen Anleitung geführt wird.

## XII. Dritter Nachtrag: *Ausdruck der beschleunigenden Kräfte in Polarkoordinaten; Gravitationsgesetz.*

In der vorhergehenden Untersuchung wurden die beschleunigenden Kräfte durchgängig auf ein Parallelkoordinatensystem bezogen und demgemäß durch

$$\frac{d^2x}{dt^2}, \quad \frac{d^2y}{dt^2}, \quad \frac{d^2z}{dt^2}$$

ausgedrückt, von denen allerdings in dem bisher allein betrachteten Falle einer ebenen Bewegung die dritte Komponente vermieden werden konnte.

Häufig aber — sowohl in der Theorie der elliptischen wie der gestörten Planetenbewegung — wird verlangt, die äußeren den Planeten angreifenden Kräfte nach drei zu einander senkrechten Richtungen zu zerlegen, deren eine mit dem jedesmaligen Radiusvektor zusammenfällt, deren zweite senkrecht zum Vektor

in der (ev. momentanen) Ebene der Bewegung und deren dritte
senkrecht zur Bewegungsebene steht, mit anderen Worten: es
wird verlangt, die äuíseren Kräfte allgemein durch Polarkoordinaten und ihre Differentialquotienten auszudrücken. Die dritte
Komponente, senkrecht zur Ebene der Bewegung, können wir
auch hier vorläufig aufser Betracht lassen; im Falle des Bedarfs
unterliegt die Herstellung ihrer allgemeinen Form keinerlei
Schwierigkeiten.

Bei diesen Entwickelungen ziehen wir es vor, den synthe-
tischen Weg einzuschlagen, da derselbe mehr als der analytische
geeignet ist, die Bedeutung der allgemeinen Ausdrücke zur An-
schauung zu bringen; von denen wir schon an dieser Stelle eine
sehr wichtige Anwendung machen werden. Im Vorhergehenden
haben wir nämlich auf Grund des Gravitationsprinzips die Natur
der Bahn entwickelt. Die in Rede stehenden Ausdrücke werden
uns aber in den Stand setzen, auch die umgekehrte Aufgabe
zu lösen, nämlich aus der Natur der Bewegung (also aus den
Keplerschen Gesetzen) die Eigenschaften der Kraft (das Gravitationsgesetz) und zwar auf dem denkbar einfachsten Wege
herzuleiten.

### *Entwickelung der Differentialgleichungen der Kräfte.*

$P_1 P_2$ (Fig. 5.) sei das Bahnelement des Planeten im ersten
Zeitdifferentiale. Macht man $P_2 \Pi_3 = P_1 P_2$, so würde sich derselbe nach dem Gesetze der Trägheit im Punkte $\Pi_3$ befinden,
wenn er im zweiten Zeitteilchen lediglich sich selbst überlassen
wäre. Unter der Einwirkung irgend welcher Kräfte gelange er
jedoch nach $P_3$. Schlägt man mit den Radien $SP_1 = r$ und
$SP_2 = r + dr$ die Kreisbogen $P_1 N$ und $P_2 C$, zieht man ferner
$P_2 D$ parallel $P_1 M$, so ergeben sich — vorausgesetzt, dafs Bogen
$MN = MP_1$ gemacht wurde — leicht die folgenden Beziehungen:

$$P_3 C - P_2 M = d^2 r$$
$$\measuredangle P^3 S N = \measuredangle P_3 S P_2 - P_2 S P_1 = d^2 \varphi.$$

Zum Unterschiede hiervon setze man

$$\Pi_3 J - P_2 M = \triangle^2 r$$
$$\measuredangle \Pi_3 S P_2 - P_2 S P_1 = \triangle^2 \varphi,$$

indem mit $r$ und $\varphi$ die Polarkoordinaten bezeichnet werden.

Die äusere Kraft $K_r$, welche im Radiusvektor den Planeten $P_1$ angreift, ist nun offenbar gleich der im Radiusvektor wirkenden Totalkraft

$$\frac{d^2 r}{dt^2}$$

vermindert um die aus der Trägheit hervorgehende Centrifugalkraft

$$\frac{\triangle^2 r}{dt^2},$$

demnach:

$$K_r = \frac{d^2 r}{dt^2} - \frac{\triangle^2 r}{dt^2} \quad \ldots \ldots (1).$$

In ähnlicher Weise ergiebt sich für die äusere Kraft $K_s$, welche senkrecht zum Radiusvektor in der Ebene der Bewegung wirkt, die Gleichung:

$$K_s = r\frac{d^2 \varphi}{dt^2} - r\frac{\triangle^2 \varphi}{dt^2} \quad \ldots (2).$$

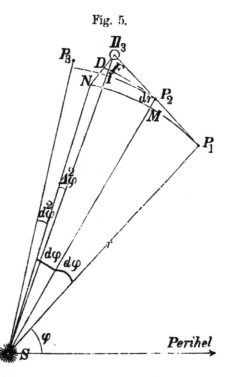

Fig. 5.

Es kommt nun darauf an, die Grösen

$$\frac{\triangle^2 r}{dt^2} \quad \text{und} \quad \frac{\triangle^2 \varphi}{dt^2}$$

der Gleichungen (1) und (2) durch die eigentlichen Differentialquotienten der Polarkoordinaten zu ersetzen.

Offenbar ist

$$\Pi_3 J = JF + \Pi_3 F$$
$$= JF + dr$$

(bis auf Grösen höherer Ordnung; denn $\sphericalangle \Pi_3 P_2 F$ ist nach Konstruktion $= P_2 P_1 M$ und $\sphericalangle DP_2 J = d\varphi$, also

$$\Pi_3 F = \Pi_3 P_2 \cdot \frac{\sin(90 + d\varphi)}{\sin \Pi_3 P_2 F} = \frac{P_2 P_1 \cos d\varphi}{\sin P_2 P_1 M} = dr).$$

Ferner hat man gleichfalls bis auf Grösen höherer Ordnung:

$$JF = P_2 J \cdot d\varphi = r d\varphi \cdot d\varphi = r d\varphi^2,$$

so dass schliesslich:

$$\Pi_3 J = dr + r d\varphi^2.$$

Da aber auch
$$\Pi_3 J = dr + \triangle^2 r,$$
so folgt:
$$\triangle^2 r = r d\varphi^2.$$

Damit ergiebt sich für die (äußere) Kraft im Vektor:
$$K_r = \frac{d^2 r}{dt^2} - r \frac{d\varphi^2}{dt^2} \ \ \ldots \ldots (1\alpha).$$

Andererseits ist augenscheinlich:
$$\triangle P_1 S P_2 = P_2 S \Pi_3, \text{ oder:}$$
$$r(r + dr) d\varphi = (r + dr)(r + 2dr + \triangle^2 r)(d\varphi + \triangle^2 \varphi),$$

woraus mit Vernachlässigung der Größen höherer Ordnung folgt:
$$\triangle^2 \varphi = - \cdot \frac{2 dr \, d\varphi}{r}.$$

Für die zweite Komponente erhält man also die Gleichung:
$$K_s = r \frac{d^2 \varphi}{dt^2} + 2 \frac{dr}{dt} \cdot \frac{d\varphi}{dt} \ \ \ldots \ldots (2\alpha).$$

### *Entwickelung des Gravitationsgesetzes.*

Für die Geschwindigkeiten
$$\frac{d\varphi}{dt} \text{ und } \frac{dr}{dt}$$
haben wir an einer früheren Stelle die Gleichungen gefunden:
$$\frac{d\varphi}{dt} = \frac{k\sqrt{p}}{r^2}; \frac{dr}{dt} = \frac{k\varepsilon \sin \varphi}{\sqrt{p}}.$$

Dabei wurde die Richtigkeit des Gravitationsgesetzes v o r a u s - g e s e t z t.

Jetzt soll gerade umgekehrt letzteres aus den erfahrungs- mäßig festgestellten K e p l e r schen Gesetzen deduziert werden. Wir haben deshalb jene für die Gleichungen (1α) und (2α) unentbehrlichen Geschwindigkeitsausdrücke neu zn begründen. Jedenfalls ist auch hier (vergl. oben):
$$c = \frac{2ab\pi}{U} = \frac{2\pi}{U} \cdot a\sqrt{ap} = n \, a^{\frac{3}{2}} \sqrt{p}.$$

Nach dem dritten Gesetze K e p l e r s ist aber
$$n a^{\frac{3}{2}} = \text{Konstans} = k, \text{ also}$$
$$c = r^2 \frac{d\varphi}{dt} = k\sqrt{p},$$

wie oben. Nur darf man nicht übersehen, daſs das dritte Gesetz in der vorliegenden Form nicht völlig genau ist. Mit dieser
Einschränkung haben wir demnach wieder:

$$\frac{d\varphi}{dt} = \frac{k\sqrt{p}}{r^2}$$

Die zweite Gleichung

$$\frac{dr}{dt} = \frac{k\varepsilon \sin \varphi}{\sqrt{p}}$$

ist aber nur eine Folge dieser ersten in Verbindung mit der
Polargleichung; auch sie besteht demnach lediglich auf Grund
der Keplerschen Gesetze.

Werden nun diese beiden Relationen nochmals differenziert,
so ergiebt sich:

$$\frac{d^2r}{dt^2} = \frac{k\varepsilon}{\sqrt{p}} \cos \varphi \frac{d\varphi}{dt}$$

$$\frac{d^2\varphi}{dt^2} = -2k\frac{\sqrt{p}}{r^3}\frac{dr}{dt}.$$

Durch Substitution dieser vier Ausdrücke in die Gleichungen
(1 $\alpha$) und (2 $\alpha$) erhält man sodann mit Zuziehung der Polargleichung:

$$K_r = -\frac{k^2}{r^2}$$

$$K_s = 0.$$

Unter der Voraussetzung, daſs der Planet sich in einer Keplerschen Ellipse um die Sonne bewegt, reduziert sich also die
äuſsere ihn angreifende Kraft auf eine einzige im Radiusvektor, umgekehrt dem Quadrate der Sonnenentfer-
nung wirkende Kraft.

Die zweite Thesis des Gravitationsgesetzes, nach welcher
die Wirkung der Schwere eine wechselseitige ist und proportio-
nal den Massen vor sich geht, ist strenggenommen nur eine, von
den Erfahrungen bestätigte Forderung der Logik.

Wir glauben hiermit die Theorie der elliptischen Bewegung
beschlieſsen und auf der gewonnenen Grundlage dem zweiten
Teile unserer Untersuchung, der Variation der Elemente
einer elliptischen Planetenbahn, zuwenden zu können.

# B.

# Theorie der speziellen Störungen.

### XIII. Entwickelung der Encke-Lagrangeschen Störungsformeln.

Nach unserer bisherigen Untersuchung erfolgt die relative Bewegung eines Planeten um die Sonne in einem Kegelschnitte, wenn lediglich die wechselseitige Anziehung dieser zwei Körper in Betracht gezogen wird. Da indessen die Schwere eine allgemeine Eigenschaft der Materie bildet, so werden jene zwei Körper auch mit allen übrigen Planeten in derselben Wechselbeziehung stehen. Infolge dessen weicht jede Planetenbahn von der Idealgestalt einer Ellipse mehr oder minder ab, und diese Abweichungen sind es, welche man Störungen nennt. Je nachdem nun diese letzteren entweder als allgemeine Funktionen der Zeit $t$ oder nur für begrenzte Zeiträume durch die mechanische Quadratur bestimmt werden, heißen dieselben allgemeine, bezw. spezielle Störungen. So sehr auch die Überlegenheit der ersten Darstellungsart in theoretischer Beziehung anerkannt werden muß — insofern allgemeine Theoreme nur auf diesem Wege begründet werden können — ebenso sehr ist ihre praktische Verwendbarkeit als eine beschränkte zu bezeichnen. Dieselbe versagt oder wird wenigstens unsicher, sobald die Exzentrizitäten und Neigungen der Planetenbahnen eine nur mäßige Größe überschreiten, da in diesem Falle die stets gebrauchten Reihen den für praktische Zwecke unentbehrlichen Grad der Konvergenz verlieren. Man ist deshalb gezwungen, auf Methoden bedacht zu sein, welche dieser Einschränkung nicht anheimfallen, wenn sie auch der Allgemeinheit ermangeln. Alle diese Verfahrungsarten, die, trotz ihres gemeinsamen Grundgedankens, einer sehr mannigfaltigen Gestaltung fähig sind, faßt man unter dem Namen

Methoden der speziellen Störungen

zusammen. Nur auf diese wird die folgende Untersuchung sich einlassen, innerhalb dieser Grenzen aber den Gegenstand möglichst vielseitig behandeln, deshalb sowohl die Störungen der elliptischen Koordinaten als diejenige der Elemente in den Kreis der Betrachtungen ziehen. Auch hier werden wir uns vorwiegend auf das uns bereits geläufige Prinzip der Variation stützen.

Wir beginnen mit einer vollständigen Ableitung der Enckeschen Störungsformeln, nicht bloß wegen ihrer immer noch fundamentalen Bedeutung für die gesamte Störungsrechnung, sondern auch um dem Leser durch parallele Behandlung eines bestimmten Falls ein sicheres Urteil über die beiden Formen des Variationsprinzips — der von Encke benutzten mathematischen und der hier gebrauchten dynamischen Form — zu ermöglichen.

Diese Störungsformeln erfordern eine nachträgliche Entwickelung der nach Richtung der Polarkoordinaten zerlegten störenden Kräfte, zu welchem Zwecke von Encke ein veränderliches Parallelkoordinatensystem eingeführt wird. Da uns zu dieser, mit beträchtlichen Nebenrechnungen verknüpften Transformationen ein zwingender Grund nicht vorzuliegen schien, so trugen wir kein Bedenken, ein, wie wir glauben, einfacheres oder wenigstens unmittelbareres Verfahren an die Stelle zu setzen.

Erst nach Erörterung der Enckeschen Gleichungen werden wir zu einer in mancher Beziehung neuen Behandlung unseres Gegenstandes übergehen.

## XIV. Allgemeine Bezeichnungen.

Den auf Seite 5 zusammengestellten und durch Fig. 2 erklärten Bezeichnungen sind noch folgende hinzuzufügen, welche teilweise auch schon früher gebraucht sind (s. Fig. 6):

$v$ = Geschwindigkeit des gestörten Planeten in der Bahn,

$u$ = exzentrische Anomalie desselben (definiert durch die Gleichung 5 auf Seite 24)

$l$ = Länge des gestörten Planeten in der Bahn = dem Doppelwinkel $V\Omega + \Omega P$ (s. Fig. 6),

$\lambda = \Omega M$ = Länge des gestörten Planeten in der Ekliptik,

$\beta$ = Breite in Bezug auf die Ekliptik,

$\Omega$ = Länge des aufsteigenden Knotens $\Omega$ der Planetenbahn = $V\Omega$ der Figur 6,

$PR$ = Verlängerung des gestörten Vektors $r$,

$PS$ = Richtung in der gestörten Bahnebene, senkrecht zum Vektor $r$,

$PW$ = Senkrechte auf der gest. Bahnebene im Orte des Planeten,

$PQ$ = Richtung der störenden Kraft,

$PW_1$ = Richtung $\perp r$ in der auf der Ekliptik senkrechten Ebene $PMS$.

siehe Fig. 7.

Fig. 6.

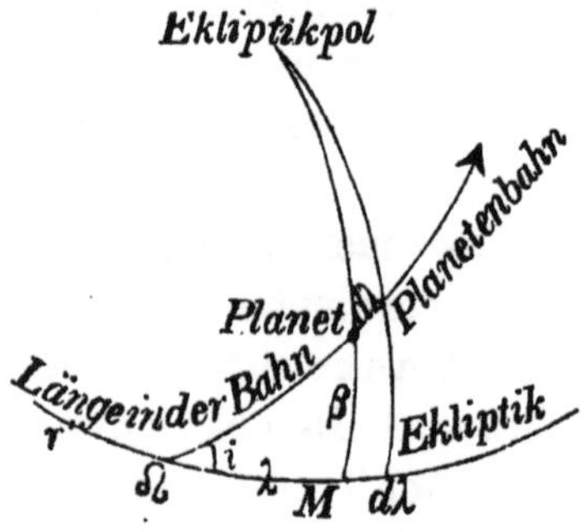

Ferner bedeuten:

$QS$, $QR$, $QW$ und $QW_1$ die Winkel, welche die Richtung $PQ$ bezw. mit $PS$, $PR$, $PW$ und $PW_1$ einschließt.

Nennt man also

$P$ die Totalkraft, welche die momentane elliptische Bahn des Planeten stört,

so ist:

1. die Komponente derselben in der Richtung des gestörten Vektors . . . . . . . = $P \cdot \cos QR$,

2. die Komponente $\perp r$ in der gest. Bahnebene = $P \cdot \cos QS$,

3. die Komponente $\perp$ der gest. Bahnebene = $P : \cos QW$,

4. die Komponente $\perp r$ in der auf der Ekliptik senkrechten Ebene, in welcher also die Breite $\beta$ gezählt wird . . . . . . = $P \cdot \cos QW_1$.

Außerdem wird von Encke noch eine weitere Komponente $P \cdot \cos QT$ eingeführt, welche in die Richtung der Tangente der gestörten Bahn fällt. Wir werden dieselbe stets — ebenso wie die vierte Komponente $P \cdot \cos QW_1$ — durch die drei zuerst genannten Komponenten ersetzen, mit Hülfe der unten a. b. O. entwickelten Gleichungen.

## Sechs Hilfsätze.

I. Beziehung zwischen den Geschwindigkeiten $\dfrac{dl}{dt}$, $\dfrac{d\beta}{dt}$, $\dfrac{d\lambda}{dt}$.

**Aus (s. Fig. 6):**
$$\cos dl = \sin \beta \sin (\beta + d\beta) + \cos \beta \cos (\beta + d\beta) \cos d\lambda$$
ergiebt sich, wenn

$$\cos dl = 1 - \frac{dl^2}{2} + \cdots$$

$$\cos d\beta = 1 - \frac{d\beta^2}{2} + \cdots$$

$$\cos d\lambda = 1 - \frac{d\lambda^2}{2} + \cdots$$

gesetzt wird, nach gehöriger Reduktion:

$$\left(\frac{dl}{dt}\right)^2 = \left(\frac{d\beta}{dt}\right)^2 + \left(\cos \beta \, \frac{d\lambda}{dt}\right)^2,$$

eine Relation, welche der Figur auch unmittelbar entnommen werden kann.

II. Beziehung zwischen den Geschwindigkeiten $\dfrac{dl}{dt}$ und $\dfrac{d\lambda}{dt}$.

**Die Gleichung (s. Fig. 6 und die Bezeichnungen):**
$$\operatorname{tg}(\lambda - \Omega) = \cos i \, \operatorname{tg}(l - \Omega)$$
führt, wenn $i$ und $\Omega$ als konstant betrachtet werden, durch Differenzieren auf die Relation:

$$\frac{1}{\cos^2(\lambda - \Omega)} \cdot \frac{d\lambda}{dt} = \frac{\cos i}{\cos^2(l - \Omega)} \cdot \frac{dl}{dt},$$

woraus, wegen
$$\cos(l - \Omega) = \cos \beta \cos(\lambda - \Omega),$$
erhalten wird:

$$\frac{dl}{dt} = \frac{\cos^2 \beta}{\cos i} \cdot \frac{d\lambda}{dt}.$$

III. Beziehung zwischen den Geschwindigkeiten $\dfrac{d\beta}{dt}$ und $\dfrac{dl}{dt}$.

**Durch Kombination von I und II ergiebt sich:**

$$\frac{d\beta}{dt} = \frac{dl}{dt} \sqrt{1 - \frac{\cos^2 i}{\cos^2 \beta}} = \operatorname{tg} \beta \operatorname{cotg} (l - \Omega) \cdot \frac{dl}{dt}.$$

IV. Beziehung zwischen den Komponenten $P\cos QW_1$, $P\cos QW$ und $P\cos QS$.

Fig. 7.

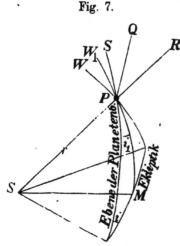

Ist $\Theta$ der Winkel zweier Geraden, welche mit drei aufeinander senkrechten Achsen die Winkel $\alpha$, $\beta$, $\gamma$, $\alpha_1$, $\beta_1$, $\gamma_1$, bilden, so hat man nach der analytischen Geometrie:

$$\cos\Theta = \cos\alpha\cos\alpha_1 + \cos\beta\cos\beta_1 + \cos\gamma\cos\gamma_1.$$

Hiernach ist (s. Fig. 7):

$$\cos QW_1 = \cos QW\cos(90-i_1)$$
$$+\cos QS\sin(90-i_1)+\cos QR\cos W_1R$$
$$=\cos QW\sin i_1 + \cos QS\cos i_1,$$

so daß:

$$P\cos QW_1 = r\,\frac{d^2\beta}{dt^2} = \frac{\sin(\lambda-\Omega)}{\sin(l-\Omega)}\cdot P\cos QW+\cos(\lambda-\Omega)\sin i\cdot P\cos QS.$$

V. Beziehung zwischen den Geschwindigkeiten $\dfrac{d(l-\Omega)}{dt}$ und $\dfrac{d\Omega}{dt}$.

Betrachtet man die in der elliptischen Bewegung konstante Länge $\Omega$ des aufsteigenden Knotens $N$ (s. Fig 7) als veränderlich, indem $N$ nach $N_1$ rücke, so ist:

$$N_1P-NP = N_1P-TP = N_1T = -\cos i\cdot NN_1,$$

oder:

$$d(l-\Omega) = -\cos i\cdot d\Omega,$$

Fig. 8.

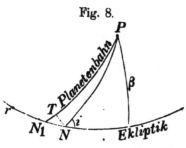

wo das negative Vorzeichen eintritt, weil eine Zunahme des s. g. Arguments der Breite $l-\Omega$ einer Abnahme der Knotenlänge $\Omega$ entspricht.

Übrigens ergiebt sich diese Gleichung auch leicht durch Differenzierung der Relation

$$\cos(l-\Omega) = \cos\beta\cos(\lambda-\Omega)$$

wenn man $\Omega$ allein als veränderlich betrachtet, wie dies bei Entwickelungen nach der Variationsmethode geschehen muß. Man erhält so:

$$\sin(\lambda-\Omega)\,d(\lambda-\Omega) = \cos\beta\sin(\lambda-\Omega)\,d(\lambda-\Omega)$$

Da offenbar $\qquad d(\lambda - \Omega) = - d\Omega,$

so wird:

$$d(l - \Omega) = - \frac{\cos \beta \sin (\lambda - \Omega)}{\sin (l - \Omega)} d\Omega = - \cos i \, d\Omega.$$

**VI. Beziehung zwischen der exzentrischen Anomalie $u$ und der wahren Anomalie $\varphi$.**

Aus den Polargleichungen:

$$r - a = a\varepsilon \cos u$$
$$r - a = - a\varepsilon^2 - r\varepsilon \cos \varphi$$

findet man durch einige leichte Umformungen:

$$a \sqrt{p} \sin u = r \sqrt{a} \sin \varphi,$$

wenn, wie bisher, mit $p$ der Semiparameter $= a(1 - \varepsilon^2)$ bezeichnet wird.

## XV. Störung des Parameters und der mittleren Entfernung. Reduktion der Enckeschen Tangentialkraft. Störung der Exzentrizität, der Knotenlänge, der Neigung, des Perihels, des Winkels zwischen Perihel und Knoten, der mittleren Anomalie.

Durch die vorstehenden Hilfsätze sind wir nun hinlänglich vorbereitet, um ohne Unterbrechung die Störungsformeln der elliptischen Bahnelemente auf Grund der Variationsmethode entwickeln zu können.

### 1. *Störung des Parameters.*

In der bekannten Grundformel der elliptischen Bewegung

$$r^2 \frac{dl}{dt} = k \sqrt{p}$$

erscheint, wie es das Variationsprinzip verlangt, die elliptische Konstante $p$ bereits unmittelbar ausgedrückt durch Polarkoordinaten und ihre Geschwindigkeiten. Zwar haben wir im ersten Teile unserer Untersuchung stets die Parallelkoordinaten und deren Geschwindigkeiten benutzt, allein vermöge der zwischen den beiden Arten von Koordinaten stattfindenden Beziehungen ist selbstverständlich eine Vertauschung beider jederzeit gestattet.

Differenziert man nun, nach Maßgabe der Variationsmethode, jene Gleichung in Bezug auf die Konstante $p$ und die
Geschwindigkeit $\dfrac{dl}{dt}$, so folgt:

$$r^2 \frac{d^2 l}{dt^2} = \frac{k}{2 \sqrt{p}} \cdot \frac{dp}{dt},$$

oder:

$$\frac{dp}{dt} = \frac{2 r \sqrt{p}}{k} \cdot P \cos QS,$$

da offenbar $r \dfrac{d^2 l}{dt^2} =$ der in die Bahnebene fallenden, zum Vektor $r$
senkrechten Komponenten der störenden Kraft $P$ ist.

Es mag bei dieser Gelegenheit nochmals in Erinnerung gebracht werden, daß hier, wie im folgenden, die Differentialquotienten der Geschwindigkeiten nicht deren Gesamt-Inkremente,
sondern nur diejenigen Teile umfassen, welche den störenden
Kräften entspringen — oder, wie wir uns früher ausgedrückt
haben, den neu auftretenden Kräften (vergl. Teil A, Analyt.
Ausdruck des Prinzips).

### 2. *Störung der mittleren Entfernung.*

Die an einer früheren Stelle gleichfalls begründete und
schon wiederholt besprochene Gleichung:

$$a = 1 : \left( \frac{2}{r} - \frac{v^2}{k^2} \right)$$

geht, da

$$v^2 = r^2 \left( \frac{dl}{dt} \right)^2 + \left( \frac{dr}{dt} \right)^2,$$

in die vorgeschriebene Form über:

$$a = 1 : \left[ \frac{2}{r} - \frac{r^2}{k^2} \left( \frac{dl}{dt} \right)^2 - \frac{1}{k^2} \left( \frac{dr}{dt} \right)^2 \right],$$

woraus durch Differenzierung erhalten wird:

$$\frac{da}{dt} = 2 \frac{r^2 a^2}{k^2} \cdot \frac{dl}{dt} \cdot \frac{d^2 l}{dt^2} + 2 \frac{a^2}{k^2} \cdot \frac{dr}{dt} \cdot \frac{d^2 r}{dt^2}.$$

Setzt man nach dem Obigen (Teil I):

$$\frac{dl}{dt} = \frac{k \sqrt{p}}{r^2} \text{ und } \frac{dr}{dt} = \frac{k\varepsilon}{\sqrt{p}} \sin \varphi,$$

so ergibt sich:

$$\frac{da}{dt} = 2 \frac{a^2 \sqrt{p}}{kr} \cdot P \cos QS + \frac{2 a^2 \varepsilon}{k \sqrt{p}} \sin \varphi \cdot P \cos QR.$$

**Anmerkung.** *Reduktion der Enckeschen Tangentialkraft.*

Wie bereits erwähnt, hat Encke aufser drei aufeinander senkrechten Komponenten der Kraft $P$ noch eine weitere, in die Bahntangente fallende Seitenkraft zu Hilfe genommen. Auf folgendem Wege kann dieselbe auf die anderen Komponenten zurückgeführt werden.

Differenziert man die vorstehende Gleichung

$$a = 1 : \left( \frac{2}{r} - \frac{v^2}{k^2} \right)$$

unmittelbar nach der Konstanten $a$ und der Geschwindigkeit $v$, so kommt

$$\frac{da}{dt} = \frac{2a^2}{k^2} v \frac{dv}{dt}.$$

Offenbar stellt $\frac{dv}{dt}$ die störende Kraft in der Tangente dar, weshalb

$$\frac{da}{dt} = \frac{2a^2}{k^2} v . P \cos QT.$$

Eine Vergleichung dieses Ausdrucks von $\frac{da}{dt}$ mit dem oben gefundenen liefert die gesuchte Beziehung:

$$P \cos QT = \frac{k \sqrt{p}}{v . r} . P \cos QS + \frac{k\varepsilon \sin \varphi}{v \sqrt{p}} . P \cos QR,$$

wo $v$ durch $k \sqrt{\dfrac{2}{r} - \dfrac{1}{a}}$ ersetzt werden kann.

### 3. *Störung der Exzentrizität.*

Die analytisch-geometrische Relation

$$p = a(1 - \varepsilon^2)$$

ergiebt:

$$\frac{d\varepsilon}{dt} = \frac{p}{2a^2\varepsilon} \frac{da}{dt} - \frac{1}{2a\varepsilon} \frac{dp}{dt},$$

so dafs nach Einführung der Werte von $\frac{da}{dt}$ und $\frac{dp}{dt}$ folgt.

$$\frac{d\varepsilon}{dt} = \frac{(ap - r^2) \sqrt{p}}{ar \varepsilon k} P \cos QS + \frac{\sqrt{p} . \sin \varphi}{k} . P \cos QR.$$

### 4. *Störung der Knotenlänge.*

Aus (vergl. Hilfsatz III):

$$\frac{d\beta}{dt} = \operatorname{tg} \beta \operatorname{cotg}(l - \Omega) \frac{dl}{dt}$$

findet man:

$$\frac{d^2\beta}{dt^2} = -\frac{\operatorname{tg}\beta}{\sin^2(l-\Omega)}\cdot\frac{dl}{dt}\cdot\frac{d(l-\Omega)}{dt} + \operatorname{tg}\beta\,\operatorname{cotg}(l-\Omega)\frac{d^2l}{dt^2},$$

oder (vergl. IV und V, sowie Fig. 7):

$$\sin i_1\cdot P\cos QW + \cos i_1\cdot P\cos QS =$$

$$\frac{\operatorname{tg}\beta\cos i\cdot k\sqrt{p}}{\sin^2(l-\Omega)\cdot r}\cdot\frac{d\Omega}{dt} + \cos i_1\cdot P\cos QS.$$

Schließlich:

$$\frac{d\Omega}{dt} = \frac{r\sin(l-\Omega)}{k\sqrt{p}\sin i}\cdot P\cos QW.$$

### 5. Störung der Neigung.

Nach Hilfsatz III ist:

$$\cos^2 i\left(\frac{dl}{dt}\right)^2 = \left[\left(\frac{dl}{dt}\right)^2 - \left(\frac{d\beta}{dt}\right)^2\right]\cos^2\beta.$$

Mithin:

$$\cos^2 i\frac{dl}{dt}\cdot\frac{d^2l}{dt^2} - \cos i\sin i\left(\frac{dl}{dt}\right)^2\cdot\frac{di}{dt} = \left[\frac{dl}{dt}\cdot\frac{d^2l}{dt^2} - \frac{d\beta}{dt}\cdot\frac{d^2\beta}{dt^2}\right]\cos^2\beta,$$

oder:

$$\cos^2 i\frac{dl}{dt}\cdot P\cos QS - r\cos i\sin i\left(\frac{dl}{dt}\right)^2\cdot\frac{di}{dt}$$

$$= \left[\frac{dl}{dt}\cdot P\cos QS - \frac{d\beta}{dt}\Big(\sin i_1\,P\cos QW + \cos i_1\,P\cos QS\Big)\cos^3\beta.\right.$$

Die verschiedenen Komponenten $P\cos QS$ heben sich bei näherer Betrachtung ihrer Koeffizienten auf, und man erhält nach einigen Reduktionen als Resultat:

$$\frac{di}{dt} = \frac{r}{k\sqrt{p}}\cos(l-\Omega)\cdot P\cos QW.$$

### 6. Störung der wahren Anomalie $\varphi$ als Folge der Perihelstörung.[*]

Die Polargleichung:

$$r(1+\varepsilon\cos\varphi) = p$$

liefert:

$$\frac{d\varphi}{dt} = \frac{\cos\varphi}{\varepsilon\sin\varphi}\frac{d\varepsilon}{dt} - \frac{1}{r\varepsilon\sin\varphi}\frac{dp}{dt},$$

woraus durch Substitution:

---

[*] Vergl. die nächstfolgende Anmerkung.

$$\frac{d\varphi}{dt} = \frac{\cos\varphi}{\varepsilon\sin\varphi}\left[\frac{(ap-r^2)\sqrt{p}}{a\varepsilon k r}\cdot P\cos QS + \frac{p}{k\sqrt{p}}\cdot P\cos QR\right]$$
$$- \frac{1}{r\varepsilon\sin\varphi}\cdot\frac{2r\sqrt{p}}{k}\cdot P\cos QS$$

und durch Reduktion:

$$\frac{d\varphi}{dt} = -\frac{(r+p\sin\varphi)}{\varepsilon k\sqrt{p}}\cdot P\cos QS + \frac{p\cos\varphi}{\varepsilon k\sqrt{p}}\cdot P\cos QR.$$

**7. *Störung des Winkels $\omega$ zwischen Perihel und Knoten.***

Nach Fig. 2 ist:

$$\omega = \varphi - (l - \Omega),$$

so dafs

$$\frac{d\omega}{dt} = \frac{d\varphi}{dt} - \frac{d(l-\Omega)}{dt},$$

oder, da hier von dem letzten Quotienten ausschliefslich die Änderung des $\Omega$ in Betracht kommt:

$$\frac{d\omega}{dt} = -\frac{(r+p)\sin\varphi}{\varepsilon k\sqrt{p}}\cdot P\cos QS + \frac{p\cos\varphi}{\varepsilon k\sqrt{p}}\cdot P\cos QR + \cos i\frac{d\Omega}{dt},$$

wo für $\dfrac{d\Omega}{dt}$ der oben gefundene Wert zu setzen ist.

**8. *Störung der mittleren Anomalie.***

Es sei

$$m_0 = u_0 - \varepsilon_0\sin u_0$$

die mittlere Anomalie und

$$n_0 = \frac{k}{a_0^{\frac{3}{2}}}$$

die mittlere tägliche Bewegung, beides zur Zeit der Oskulation (in der „Epoche").

Wären diese beiden Elemente — wie in der rein elliptischen Bewegung — unveränderlich, so bestände für die mittlere Anomalie $M$ zur Zeit $t$ nach der Epoche die Gleichung:

$$M = m_0 + n_0 t.$$

Nun ändert sich aber sowohl $m_0$ als $n_0$, ersteres weil $\varepsilon_0$ und $u_0$ gestört werden, letzteres weil $a_0$ einer Störung unterliegt. Nennen wir

$$\frac{dn}{dt}$$

die Geschwindigkeit der Störung von $n_0$, so ist das Inkrement von $n_0$ im ersten Zeitteilchen

$$\frac{dn}{dt} \cdot dt.$$

Demnach beträgt die mittlere Bewegung zu irgend einer Zeit $t$:

$$n_0 + \int_0^t \frac{dn}{dt} \cdot dt.$$

Vermöge derselben legt also der Planet während der Zeit $t$ den Weg zurück

$$n_0 \cdot t + \int_0^t dt \int_0^t \frac{dn}{dt} \cdot dt.$$

Wird ferner mit

$$\frac{dm}{dt}$$

die Geschwindigkeit der Störung von $m_0$ bezeichnet, so hat man zur Zeit $t$ nach der Epoche

$$m_0 + \int_0^t \frac{dm}{dt}\, dt \, .$$

an Stelle von $m_0$ zu setzen. Die gestörte Anomalie zur Zeit $t$ ist mithin:

$$M = \left[ m_0 + \int_0^t \frac{dm}{dt}\, dt \right] + \left[ n_0 t + \int_0^t dt \int_0^t \frac{dn}{dt}\, dt \right]^* \dots \dots (x).$$

Was zunächst

$$\frac{dn}{dt}$$

betrifft, so hat man aus der Gleichung:

$$n = \frac{k}{a^{\frac{3}{2}}}$$

durch Differenzierung:

$$\frac{dn}{dt} = -\frac{3}{2}\frac{k}{a^{\frac{5}{2}}}\frac{da}{dt}$$

$$= -3\left[ \frac{\sqrt{p}}{r\sqrt{a}} P \cos QS + \frac{\varepsilon \sin \varphi}{\sqrt{ap}} P \cos QR \right] \dots \dots (y).$$

---

* Vergl. die nächstfolgende Anmerkung.

Um $\dfrac{dm}{dt}$ zu bestimmen, differenzieren wir zunächst die Gleichung

$$m = u - \varepsilon \sin u.$$

Man erhält

$$\frac{dm}{dt} = (1 - \varepsilon \cos u)\frac{du}{dt} - \sin u \frac{d\varepsilon}{dt}$$

$$= \frac{r}{a} \cdot \frac{du}{dt} - \sin u \frac{d\varepsilon}{dt} \quad \cdots \cdots (\alpha).$$

Es ist aber nach der Definition

$$\sqrt{1+\varepsilon}\,\operatorname{tg}\frac{u}{2} = \sqrt{1-\varepsilon}\cdot\operatorname{tg}\frac{\varphi}{2},$$

also

$$\frac{du}{dt} = \frac{\sin u}{\sin \varphi}\frac{d\varphi}{dt} - \frac{a\sin u}{p}\frac{d\varepsilon}{dt} \quad \cdots \cdots (\beta).$$

Wird $\dfrac{du}{dt}$ aus $(\alpha)$ und $(\beta)$, sowie $\sin u$ mit Anwendung des Hilfs-satzes VI eliminiert, so folgt:

$$\frac{dm}{dt} = \frac{r^2}{a\sqrt{ap}}\frac{d\varphi}{dt} - \frac{r(p+r)}{p\sqrt{ap}}\sin\varphi\frac{d\varepsilon}{dt}.$$

Endlich ergiebt die Substitution der früher gefundenen Werte von $\dfrac{d\varphi}{dt}$ und $\dfrac{d\varepsilon}{dt}$ nach gehöriger Reduktion:

$$\frac{dm}{dt} = -\frac{1}{k\sqrt{a}}\left[\left(2r - \frac{p\cos\varphi}{\varepsilon}\right)P\cos QR + \frac{p+r}{\varepsilon}\sin\varphi\cdot P\cos QS\right]\cdots(z).$$

Ersetzt man die Quotienten $\dfrac{dm}{dt}$ und $\dfrac{dn}{dt}$ der Gleichung $(x)$ durch ihre Werte in $(y)$ und $(z)$, so erhält man die Bestimmungsgleichung für die gestörte mittlere Anomalie $M$.

**Anmerkung 1.** Die vorstehenden Entwickelungen würden anschaulicher, wenn man die während einer unbestimmten Zeit $t$ entstehenden Störungen durch besondere Zeichen hervorgehoben, also etwa den Störungsbetrag der Exzentrizität $\varepsilon$ durch

$$\triangle\varepsilon,$$

mithin die Geschwindigkeit der Störung durch

$$\frac{d\triangle\varepsilon}{dt}$$

angedeutet hätte. Es ist dafür, um auch äußerlich möglichste Übereinstimmung mit den Enckeschen Formeln zu erreichen, einfach $\dfrac{d\varepsilon}{dt}$ geschrieben worden.

Aufserdem erforderte der Gang der vorstehenden Entwickelungen, dafs auch die Störungen

$$\frac{dp}{dt} \quad \text{und} \quad \frac{d\varphi}{dt}$$

mit aufgenommen wurden, was indessen für die Form der anderen Störungsgleichungen ohne Einflufs ist.

Eine etwas merklichere Abweichung tritt dadurch ein, dafs, wie schon erwähnt, die von Encke gebrauchte Tangentialkomponente überall vermieden wurde. Wird dieselbe mit Hilfe der unter 2 mitgeteilten Gleichung wieder eingeführt, so gehen unsere Formeln sämtlich in die von Encke über. Denn das umgekehrte Vorzeichen in der Störungsgleichung von $\frac{d\omega}{dt}$ rührt nur daher, weil $\omega$ bei Encke in umgekehrter Richtung gezählt wird.

Wichtiger erscheint ein anderer Differenzpunkt.

Nach Encke ist nämlich (vergl. Berl. Jahrb. 1837, S. 315) die gestörte Anomalie

$$M = [m_0 + \triangle m] + [n_0 + \triangle n]\,t, \quad \text{oder}$$

$$= \left[m_0 + \int_0^t \frac{dm}{dt}\,dt\right] + \left[n_0 + \int_0^t \frac{dn}{dt}\,dt\right] \cdot t,$$

hingegen nach unserer Gleichung:

$$M = \left[m_0 + \int_0^t \frac{dm}{dt}\,dt\right] + \left[n_0\,t + \int_0^t dt \int_0^t \frac{dn}{dt}\,dt\right]$$

anzunehmen. Wenn aber die mittlere Bewegung zu irgend einer Zeit $t$ nach der Oskulation

$$= n_0 + \triangle n = n_0 + \int_0^t \frac{dn}{dt}\,dt$$

ist, so kann der aus dieser mittleren Bewegung hervorgehende Teil der mittleren Anomalie $M$ — wegen der Veränderlichkeit von $\triangle n$ — nicht wohl

$$= (n_0 + \triangle n)t$$

genommen werden. Man mufs vielmehr schliefsen: Während irgend eines Zeitteilchens $dt$ wird durch die veränderliche mittlere Bewegung das Inkrement

$$\left[n_0 + \int_0^t \frac{dn}{dt}\,dt\right] \cdot dt$$

erzeugt; im Verlaufe der Zeit $t$ entsteht also der Zuwachs:

$$n_0\,t + \int_0^t dt \int_0^t \frac{dn}{dt}\,dt.$$

Differenziert man, so ergiebt sich aus unserer Gleichung (wenn man nur auf die störenden Glieder Rücksicht nimmt):

$$\frac{dM}{dt} = \frac{dm}{dt} + \int_0^t \frac{dn}{dt}\, dt,$$

während nach Encke (vergl. S. 316 a. a. O.):

$$\frac{dM}{dt} = \frac{dm}{dt} + \int \frac{dn}{dt}\, dt + t\,\frac{dn}{dt}$$

folgt. Da aber andererseits nach Encke $\frac{dm}{dt}$ = dem oben in $(z)$ angegebenen Werte minus $t\,\frac{dn}{dt}$, so gelangen schliefslich die beiden Werte von $\frac{dM}{dt}$ dennoch zur Deckung.

Unserer unmafsgeblichen Ansicht nach ist indessen das Erscheinen des Gliedes $t\,\frac{dn}{dt}$ in der Gleichung für $\frac{dm}{dt}$ ebenso wenig berechtigt, wie in der Formel für $\frac{dM}{dt}$. Dies giebt uns Veranlassung, zunächst nochmals auf die Störung der wahren Anomalie (mit der in No. 6 angenommenen Beschränkung) zurückzugehen. Denn man kann fragen, warum bei der Ableitung der Formel aus der Polargleichung

$$r(1 + \varepsilon \cos \varphi) = p$$

allein $\varepsilon$, $p$ und $\varphi$ als veränderlich betrachtet wurden, während $r$ als konstant angenommen worden ist. Es hat damit folgende Bewandnis:

Die Gesamtstörung von $\varphi$ besteht aus zwei Teilen, einer wahren nnd einer scheinbaren Störung. Die erstere beruht auf einer wirklichen Änderung der mittleren Bewegung des Planeten. Zur Einführung der scheinbaren Störung sieht man sich nur deshalb gezwungen, um den elliptischen Charakter der Bahn aufrecht zu erhalten; sie läuft denn auch thatsächlich auf eine blofse Verschiebung des Perihels hinaus. Nur diese letztere kommt aber z. B. in der Störung

$$\frac{d\omega}{dt} = \frac{d\varphi}{dt} - \frac{d(l - \Omega)}{dt}$$

in Betracht, wovon man sich leicht überzeugt, wenn man sich die Natur des Winkels $\omega$ vergegenwärtigt, dessen Änderung allein durch die Verrückung des Perihels und die Änderung der Knotenlänge $\Omega$ bedingt ist. Übrigens würde, wenn man auch die wahre Störung von $\frac{d\varphi}{dt}$ mit berücksichtigen wollte, dieselbe doch aus der Gleichung wieder herausfallen, da man in diesem Falle auch die Störung von $l$ in Rechnung ziehen müfste, welche der eben betrachteten Störung von $\varphi$ gleich ist, aber in der obigen Gleichung das entgegengesetzte Vorzeichen hat. — Es kommt also nur noch darauf an, die scheinbare Störung von $\varphi$ mathematisch festzustellen.

Jeder Vektor $r$ liegt an der Grenze zweier Bahnelemente, eines, welches ihm vorangeht, und eines, welches ihm folgt. Von diesem Gesichtspunkte gehört $r$ zwei benachbarten momentanen Ellipsen an, deren eine den Konstanten $\varepsilon$ und $p$, deren andere den Konstanten $\varepsilon + \delta\varepsilon$ und $p + \delta p$ entspricht. Derselbe müfste demnach gleichzeitig den Relationen

$$r(1 + \varepsilon \cos \varphi) = p$$
$$r[1 + (\varepsilon + \delta\varepsilon) \cos \varphi] = p + \delta p$$

genügen. Dies ist aber nur dann ohne Widerspruch möglich, wenn auch dem $\varphi$ eine angemessene Änderung $d\varphi$ beigelegt, d. h. das Perihel um diese Gröfse verschoben wird — was immer zulässig erscheint, da $\varphi$ eine blofse Rechnungsgröfse, nicht aber, wie $r$, eine von der Natur gegebene, unserer Willkür entzogene Gröfse darstellt. Man hat demnach als zweite Gleichung des Vektors:

$$r[1 + (\varepsilon + \delta\varepsilon) \cdot \cos \varphi + \delta\varphi)] = p + \delta p,$$

und ihre Verbindung mit der Gleichung ergiebt unsere Formel für

$$\frac{d\varphi}{dt}.$$

Dieselbe liefert offenbar dasjenige Inkrement von $\varphi$, welches zur fortwährenden Wiederherstellung der Ellipse erforderlich ist.

Wenden wir dies auf die Gleichung

$$M = m + nt$$

an, so dürfte es wohl keinem Zweifel unterliegen, dafs der Störungsanteil

$$\frac{dm}{dt},$$

also die Störung der mittleren Anomalie der Epoche ebenfalls nur zur Korrektion der Ellipse dient, so dafs es begründet erscheint, bei ihrer Berechnung aus der obigen Gleichung

$$\frac{dm}{dt} = \frac{r^2}{a^{\frac{3}{2}} \sqrt{p}} \frac{d\varphi}{dt} = \frac{r(p+r)}{p^{\frac{3}{2}} \sqrt{a}} \sin \varphi \frac{d\varepsilon}{dt}$$

nur die **scheinbare** Störung $\frac{d\varphi}{dt}$ zu gebrauchen.

Sollte es übrigens in einem gegebenen Falle nötig werden, die Totalstörung von $\varphi$ zu wissen, so hat man in der vorstehenden, allgemein giltigen Gleichung nur für $\frac{dm}{dt}$ den Wert der totalen Geschwindigkeit einzusetzen. Es folgt dann:

$$\frac{d\varphi}{dt} = \frac{(p+r)a}{rp} \sin \varphi \frac{d\varepsilon}{dt} + \frac{a^{\frac{3}{2}} \sqrt{p}}{r^2} \frac{dm}{dt} + \frac{a^{\frac{3}{2}} \sqrt{p}}{r^2} \int_0^t \frac{dn}{dt} dt + \frac{a^{\frac{3}{2}} \sqrt{p}}{r^2} \cdot n_0 \ . . (A)$$

und, nach Substitution der früher gefundenen Werte von

$$\frac{d\varepsilon}{dt} \text{ und } \frac{dm}{dt}:$$

$$\frac{d\varphi}{dt} = -\frac{(p+r)r\varepsilon}{r\varepsilon^2 k \sqrt{p}} \sin \varphi . P \cos QS + \frac{(p-r)p}{r\varepsilon^2 k \sqrt{p}} P \cos QR + \frac{C}{r^2} \ . . . . . (B)$$

Denn die beiden letzten Glieder der Gleichung $(A)$ reduzieren sich auf $\frac{C}{r^2}$. In der Praxis wird indessen die Gleichung $(B)$ wohl kaum zur Verwendung kommen Dächte man etwa daran, dieselbe zur direkten Integration der wahren Anomalie zu benutzen — um den, namentlich durch die Auflösung der transszendenten **Kepler**schen Gleichung beschwerlichen Umweg über die mittlere und exzentrische Anomalie zu vermeiden — so müfste die Ausführung dieses

Gedankens an dem Gliede $\frac{C}{r^2}$ scheitern, da in diesem der gestörte Radius genommen werden muſs, der selbst bereits die Kenntnis der gestörten Anomalien voraussetzt.

## XVI. Entwickelung der störenden Kräfte.

Um den vorhergehenden Formeln eine zur Integration geeignete Gestalt zu geben, müssen die Kraftkomponenten

$$P\cos QS,\ P\cos QR,\ P\cos QW$$

noch als Funktion der Koordinaten der Planetenörter dargestellt werden. Diese Seitenkräfte ändern mit der fortschreitenden Bewegung des gestörten und des störenden Planeten nicht bloſs ihre Gröſse sondern auch ihre Richtung. Um die hierdurch hervorgerufenen Schwierigkeiten unserer Aufgabe zu trennen, werden wir zunächst die nach drei festen Richtungen zerlegten Komponenten der störenden Kraft bestimmen und nächstdem jene ersten Komponenten mit veränderlicher Richtung auf diese zurückführen.

Wir wollen also die Kräfte bestimmen, durch welche die Bahn eines Planeten um die (als ruhend angenommene) Sonne bedingt wird, wenn auſser der gegenseitigen Anziehung dieser zwei Körper auch noch die Attraktion eines zweiten — des s. g. störenden Planeten — in die Bewegung eingreift.

Nimmt man die Sonnenmasse zur Einheit und nennt

$m$ die Masse des gestörten Planeten,

$m_1$ „ „ „ störenden „

$r$ den Radiusvektor des gestörten Planeten,

$r_1$ „ „ „ störenden „

$x,\ y,\ z$ die rechtwinkl. Koordinaten des gestörten Planeten $\Big\}$ in

$x_1,\ y_1,\ z_1$ „ „ „ „ störenden „

Bezug auf ein System dessen Ursprung in der Sonne liegt.

$\varrho$ die Entfernung zwischen dem gestörten und störenden Planeten,

$f$ die Krafteinheit (d. h. die beschleunigende Kraft der Masse 1 in der Entfernung 1),

so sind es folgende vier Kräfte, durch welche der Lauf des gestörten Planeten um die fest gedachte Sonne bestimmt wird:

1. die Kraft $\dfrac{f}{r^2}$, welche vom Centralkörper auf den gestörten Planeten ausgeübt wird,

2. „ „ $\dfrac{fm}{r^2}$, mit welcher der gestörte Planet die Centralkörper angreift,

3. „ „ $\dfrac{fm_1}{\varrho^2}$, welche den gestörten Körper nach dem störenden hinzieht,

4. „ „ $\dfrac{fm_1}{r_1^{\,2}}$, welcher in Wirklichkeit den Centralkörper nach dem störenden treibt, aber hier — wo nur die relative Bewegung des gestörten Körpers gegen den unbewegten Centralkörper untersucht wird — als eine Kraft behandelt werden muſs, welche den gestörten Körper in einer dem Vektor $r_1$ parallelen aber entgegen gesetzten Richtung zu bewegen strebt.

Die Kräfte 1 und 2 lassen sich, da sie beide den gestörten Körper dem Centralkörper zu nähern suchen, summieren, also in den Ausdruck

$$\frac{f(1+m)}{r^2}$$

vereinigen. Werden nun diese Kräfte nach Richtung der rechtwinkligen Koordinatenachsen zerlegt, so erhält man — wenn denjenigen Komponenten, welche den Abstand des gestörten Planeten vom Centralkörper zu vermindern streben, das negative Vorzeichen beigelegt wird —:

$$
\left.
\begin{aligned}
\frac{d^2x}{dt^2} &= -\frac{f(1+m)}{r^2}\cdot\frac{x}{r} + \frac{fm_1}{\varrho^2}\cdot\frac{x_1-x}{\varrho} - \frac{fm_1}{r_1^{\,2}}\cdot\frac{x_1}{r_1}\\
\frac{d^2y}{dt^2} &= -\frac{f(1+m)}{r^2}\cdot\frac{y}{r} + \frac{fm_1}{\varrho^2}\cdot\frac{y_1-y}{\varrho} - \frac{fm_1}{r_1^{\,2}}\cdot\frac{y_1}{r_1}\\
\frac{d^2z}{dt^2} &= -\frac{f(1+m)}{r^2}\cdot\frac{z}{r} + \frac{fm_1}{\varrho^2}\cdot\frac{z_1-z}{\varrho} - \frac{fm_1}{r_1^{\,2}}\cdot\frac{z_1}{r_1}
\end{aligned}
\right\} \dots (I),
$$

in welchen Gleichungen $\dfrac{x}{r}$, $\dfrac{x_1-x}{\varrho}$ …… Kosinusse bezeichnen, deren Bedeutung aus einer leicht zu entwerfenden Figur sofort erhellt.

Die ersten Glieder der rechten Seiten stellen die Komponenten dar, welche den Planeten in einer reinen Ellipse um die Sonne herumführen würden, wenn alle anderen Kräfte mit einem Male zu wirken aufhörten. Diese, durch die übrigen Glieder ausgedrückten, Kräfte sind also die momentanen perturbierenden Kräfte.

Werden demnach die Störungen der Koordinaten in irgend einem Momente mit

$$\delta x, \; \delta y, \; \delta z$$

angedeutet, so hat man:

$$\left.\begin{array}{l} \dfrac{d^2\delta x}{dt^2} = \dfrac{fm_1(x_1-x)}{\varrho^3} - \dfrac{fm_1 x_1}{r_1{}^3} \\[2mm] \dfrac{d^2\delta y}{dt^2} = \dfrac{fm_1(y_1-y)}{\varrho^3} - \dfrac{fm_1 y_1}{r_1{}^3} \\[2mm] \dfrac{d^2\delta z}{dt^2} = \dfrac{fm_1(z_1-z)}{\varrho^3} - \dfrac{fm_1 z_1}{r_1{}^3} \end{array}\right\} \;\ldots (\mathrm{I}\alpha).$$

Es sind dies nichts anderes als die rechtwinkligen Komponenten der Kraft $P$. Um nun zunächst die Kraft

$$P \cos QS$$

zu bestimmen, bezeichne $C$ die Flächengeschwindigkeit des gestörten Planeten, sowie

$$c_1, \; c_2, \; c_3$$

die Projektionen von $C$ in der Ebene der $Y-Z$, der $X-Z$ und der $Y-X$, wenn man, der Einfachheit wegen, jetzt und später die Ebene der $Y-X$ mit der in irgend einer Epoche stattfindenden Ebene der Ekliptik zusammenfallen läfst (s. Fig. 9).

Sind

$$i_1, \; i_2, \; i_3$$

die Neigungswinkel der gestörten Bahn gegen die Koordinatenebene, so hat man bekanntlich nach den ersten Lehren von den Projektionen:

$$\left.\begin{array}{l} c_1 = C \cdot \cos i_1 \\ c_2 = C \cdot \cos i_2 \\ c_3 = C \cdot \cos i_3 \end{array}\right\} \;\ldots (m)$$

$$C^2 = c_1{}^2 + c_2{}^2 + c_3{}^2 \;\ldots (n).$$

Gehen wir nun von der Gleichung

$$C = r^2 \frac{d\varphi}{dt},$$

aus, so erhalten wir durch Variation zunächst

$$\frac{dC}{dt} = r^2 \frac{d^2\varphi}{dt^2} = r \cdot P \cos QS.$$

Fig. 9.

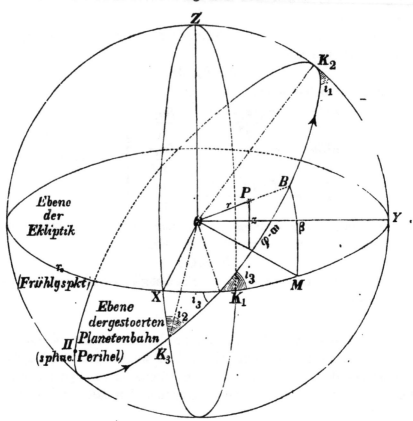

Es ist aber nach Gleichung ($n$)

$$\frac{dC}{dt} = \frac{c_1}{C}\frac{dc_1}{dt} + \frac{c_2}{C}\frac{dc_2}{dt} + \frac{c_3}{C}\frac{dc_3}{dt},$$

so daß

$$P\cos QS = \frac{c_1}{rC}\frac{dc_1}{dt} + \frac{c_2}{rC}\frac{dc_2}{dt} + \frac{c_3}{rC}\frac{dc_3}{dt}.$$

Bedenkt man nun, daß

$$c_1 = y\frac{dz}{dt} - z\frac{dy}{dt}$$

$$c_2 = z\frac{dx}{dt} - x\frac{dz}{dt}$$

$$c_3 = x\frac{dy}{dt} - y\frac{dx}{dt},$$

mithin nach dem Variationsprinzip und den Gleichungen ($\mathrm{I}\alpha$):

$$\frac{dc_1}{dt} = y\frac{d^2\delta z}{dt^2} - z\frac{d^2\delta y}{dt^2} = -k^2m_1(yz_1 - zy_1)\left(\frac{1}{r_1{}^3} - \frac{1}{\varrho^3}\right)$$

$$\frac{dc_2}{dt} = z\frac{d^2\delta y}{dt^2} - x\frac{d^2\delta z}{dt^2} = -k^2m_1(zx_1 - xz_1)\left(\frac{1}{r_1{}^3} - \frac{1}{\varrho^3}\right) \quad\dots(II),$$

$$\frac{dc_3}{dt} = x\frac{d^2\delta y}{dt^2} - y\frac{d^2\delta x}{dt^2} = -k^2m_1(xy_1 - yx_1)\left(\frac{1}{r_1{}^3} - \frac{1}{\varrho^3}\right)$$

so folgt:

$$P\cos QS = -\frac{k^2m_1{}^2}{rC}\left(\frac{1}{r_1{}^3} - \frac{1}{\varrho^3}\right)[c_1(yz_1 - zy_1) + c_2(zx_1 - xz_1)$$
$$+ c_3(xy_1 - yx_1)]\ \dots(\alpha).$$

Dies ist der gesuchte Ausdruck der Komponente, senkrecht zum Vektor in der Bahnebene.

Gehen wir nun zu der in der Richtung des Vektors wirkenden Seitenkraft

$$P\cos QR$$

über. Offenbar erhält man dieselbe, wenn man die nach den Parallelkoordinaten gezählten Kräfte

$$\frac{d^2\delta x}{dt^2}\ \text{u. s. f.}$$

auf den Radiusvektor projiziert und die Projektionen summiert. Nun sind aber die Richtungskosinusse des Vektors mit den Achsen

$$\frac{x}{r}, \frac{\dot y}{r}, \frac{z}{r}.$$

Also hat man:

$$P\cos QR = \frac{x}{r}\cdot\frac{d^2\delta x}{dt^2} + \frac{y}{r}\cdot\frac{d^2\delta y}{dt^2} + \frac{z}{r}\frac{d^2\delta z}{dt^2}$$
$$= -k^2m_1\left[\frac{xx_1 + yy_1 + zz_1}{r}\left(\frac{1}{r_1{}^3} - \frac{1}{\varrho^3}\right) - \frac{r}{\varrho^3}\right]\ \dots(\beta),$$

und damit auch den Ausdruck für die Vektor-Komponente.

Schließlich ergiebt sich die zur Bahnebene senkrechte Seitenkraft $\qquad P\cos QW$
aus der Gleichung

$$P\cos QW = \sqrt{P^2 - P^2\cos^2 QS - P^2\cos^2 QR}\dots(\gamma),$$

nachdem zuvor die Mittelkraft

$$P = \sqrt{\left(\frac{d^2\delta x}{dt}\right)^2 + \left(\frac{d^2\delta y}{dt}\right)^2 + \left(\frac{d^2\delta z}{dt}\right)^2}$$

gefunden worden ist.

**Anmerkung 1.** Encke bezieht, wie schon an einem früheren Orte erwähnt, zum Zwecke der Kräftebestimmung die Planetenörter auf ein veränderliches Koordinatensystem, dessen $Y$—$X$-Ebene in der gestörten Bahnebene und dessen $X$-Achse in die Richtung des Radiusvektors fällt. Demgemäß ergiebt sich beispielsweise für die Komponente $P \cos QS$ (vergl. Berl. Astron. Jahrb. für 1837, S. 329) die Gleichung:

$$P \cos QS = - k^2 m_1 \left( \frac{1}{r_1^3} - \frac{1}{\varrho^3} \right) \cdot y_1.$$

Dieselbe Form nimmt aber auch unser Ausdruck in $(\alpha)$ an, wenn man beachtet, daß im Enckeschen Koordinatensystem:

$$c_1 = c_2 = 0$$
$$c_3 = C$$
$$x = r, \ y = 0, \ z = 0$$

wird. Allerdings erscheinen unter diesen Umständen die Störungskomponenten in überaus einfacher Gestalt. Allein der so erlangte Vorteil dürfte durch die umständliche Koordinaten-Transformation doch wohl zu teuer erkauft sein.

**Anmerkung 2.** Die oben entwickelten Komponenten der störenden Kraft erscheinen — wenn man erwägt, daß

$$r_1^2 = \sqrt{x_1^2 + y_1^2 + z_1^2}$$
$$\varrho^2 = \sqrt{(x - x_1)^2 + (y - y_1)^2 + (z - z_1)^2}$$
$$c_1 = y \frac{dz}{dt} - z \frac{dy}{dt} \quad \text{u. s. f.} \ —$$

sämtlich als Funktionen der gestörten Koordinaten

$$x, \ y, \ z, \ x_1, \ y_1, \ z_1$$

und der Geschwindigkeiten

$$\frac{dx}{dt}, \ \frac{dy}{dt}, \ \frac{dz}{dt},$$

ein Resultat, welches sich natürlich leicht voraussehen ließ. Die genaue Berechnung dieser Kräfte setzt demnach die Kenntnis der gestörten Koordinaten bereits voraus, und es würde unmöglich sein, auf diesem Wege zu irgend einem Ziele zu gelangen, wenn nicht der sehr kleine Störungsfaktor

$$k^2 m_1$$

es gestattete, in erster Annäherung statt der gestörten die elliptischen Koordinaten zu gebrauchen. Dasselbe gilt von den in den obigen Störungsausdrücken, z. B. in

$$\frac{d\Omega}{dt} = \frac{r \sin (l - \Omega)}{k \sqrt{p} \sin i} \ P \cos QW$$

auftretenden Größen

$$i, \ p, \ l - \Omega, \ r \ \text{u. s. f.},$$

für welche ja strengenommen ebenfalls die gestörten Werte genommen werden müfsten. Auch hier genügt es, zunächst die elliptischen — mit den oskulierenden Elementen berechneten — Werte einzuführen.

Man kann demnach für eine Reihe (gewöhnlich gleichweit abstehend gewählter) Zeitpunkte die Geschwindigkeit der Störungen numerisch berechnen und hieraus dann die Störungen selbst durch das Verfahren der mechanischen Quadratur bestimmen. Von Zeit zu Zeit wird man die Rechnung unterbrechen, um aus den gestörten Koordinaten sich neue Elemente zu verschaffen, welche dann für ein weiteres Integrationsintervall die Basis der Rechnung bilden. Wann und wie oft eine solche Erneuerung der Elemente Platz zu greifen hat, darüber muß man sich so bald als möglich, unter sorgfältiger Abwägung aller im gegebenen Falle entscheidenden Verhältnisse, schlüssig machen.

# C.

## Anderer Weg zur Berechnung der speziellen Störungen.

———

Die oben gegebene Entwickelung der Komponente
$$P \cos QS$$
legt den Gedanken nahe, die Bestimmung der perturbierten Flächengeschwindigkeit
$$C$$
und ihrer Komponenten
$$c_1, \, c_2, \, c_3$$
überhaupt zum Ausgangangspunkt der Störungsrechnung zu machen.

Denn einerseits steht $C$ in einer sehr einfachen Verbindung mit dem Semiparameter $p$, indem
$$C = k \sqrt{p},$$
andererseits gehen die Neigungen
$$i_1, \, i_2, \, i_3 \text{ (s. Fig. 9)}$$
leicht aus jenen Größen hervor, zufolge der Gleichungen
$$\cos i_1 = \frac{c_1}{C}; \quad \cos i_2 = \frac{c_2}{C}; \quad \cos i_3 = \frac{c_3}{C} \, .$$
Sind aber $i_1$ und $i_2$ gefunden, so läßt sich auch die veränderte Länge des Knotens $K_1$, den man per excellentiam den Knoten der Bahn nennt, nämlich der Winkel
$$\vee K_1$$
ohne sonderliche Mühe feststellen. Denn da man die Lage der Achse $OY$ gegen den Frühlingspunkt $\vee$ kennt — es wäre ja gestattet, sie von vornherein mit der Äquinoktiallinie $O\vee$ zusammenfallen zu lassen — da man ferner die Seite $K_1 Y$ nach

Ermittelung der Winkel $i_1$ und $i_3$ aus dem $\triangle K_1 K_2 Y$ finden kann, so ergiebt sich die gesuchte Knotenlänge durch die Gleichung

$$\vee K_1 = \vee Y - K_1 Y.$$

Der grofse Vorzug dieses Rechnungsgangs liegt in der geradezu klassischen Einfachheit der Störungsausdrücke für die Flächengeschwindigkeiten, insofern dieselben namentlich von allen Koeffizienten — wie sin $\varphi$ u. ä. — befreit sind, ein Vorzug, der auf jedem anderen Wege verloren geht. Nach Bestimmung von

$$p, i, \Omega$$

folgt der Berechnung der Anomalien $M$, $u$ und $\varphi$, wodurch gleichzeitig die gestörte Halbachse

$$a$$

bekannt wird, da die mittlere Anomalie die Kenntnis der gestörten mittleren Bewegung

$$n_0 + \int_0^t \frac{dn}{dt}\, dt$$

verlangt, diese aber bekanntlich gleich

$$\frac{k}{a^{\frac{3}{2}}}$$

ist. Aus $p$, $a$ und $\varphi$ liefert sodann die Polargleichung den Vektor $r$. Um endlich auch die gestörte Breite $\beta$, die Länge $\lambda$, die Parallelkoordinaten $x$, $y$, $z$ nebst ihren Geschwindigkeiten finden zu können, bedarf es nur noch des Winkels

$$\omega,$$

dessen Bestimmung — wenn diejenige der Knotenlänge vorangegangen ist — in jedem Integrationsintervalle auf die Berechnung der Perihelverschiebung hinauskommt.

## Störung der Flächengeschwindigkeit.

Bezeichnet (s. Fig. 9), wie bisher,
$C$ die Flächengeschwindigkeit,
$c_1$ ihre senkrechte Projektion in der $Y-Z$-Ebene,
$c_2$ „ „ „ „ „ $X-Z$- „
$c_3$ „ „ „ „ „ $Y-X$- „
so hat man nach dem Obigen die Gleichungen:

$$\frac{dc_1}{dt} = -k^2 m_1 (yz_1 - zy_1) \left( \frac{1}{r_1{}^3} - \frac{1}{\varrho^3} \right)$$

$$\frac{dc_2}{dt} = -k^2 m_1 (zx_1 - xz_1) \left( \frac{1}{r_1{}^3} - \frac{1}{\varrho^3} \right)$$

$$\frac{dc_3}{dt} = -k^2 m_1 (xy_1 - yx_1) \left( \frac{1}{r_1{}^3} - \frac{1}{\varrho^3} \right).$$

Sucht man also für verschiedene äquidistante Zeitpunkte mit Hilfe der oskulierenden Elemente:

die elliptischen Koordinaten $x$, $y$, $z$ des gestörten Planeten,

„          „          „          $x_1, y_1, z_1$ „ störenden          „

den Radiusvektor $r_1$ des störenden Planeten,

die Entfernung $\varrho$ beider Planeten

und berechnet damit die Geschwindigkeiten

$$\frac{dc_1}{dt} \text{ u. s. f.,}$$

dann liefert die mechanische Quadratur zunächst die gestörten Komponenten $c_1$, $c_2$, $c_3$ und hierauf die Gleichung

$$C^2 = c_1{}^2 + c_2{}^2 + c_3{}^2$$

die resultierende Flächengeschwindigkeit selbst.

## Störung der Neigung.

Die vorstehende Bestimmung der Flächengeschwindigkeit $C$, oder da

$$C = k \sqrt{p}$$

des Sempiparameters $p$ erfordert drei selbständige Integrationen. Schon dieser Umstand läßt erwarten, daß aus den gewonnenen noch zwei weitere Elemente gefunden werden können. In der That erhält man zunächst die Neigunswinkel der gestörten Bahn gegen die drei Koordinatenebenen vermöge der Gleichungen:

$$\cos i_1 = c_1 : C,$$
$$\cos i_2 = c_2 : C,$$
$$\cos i_3 = c_3 : C.$$

Wenn man, wie in Fig. 9, die Ebene $X - Y$ als die Fundamentalebene der Polarkoordinaten annimmt, so ist es inbesondere der Winkel

$$i_3,$$

welchen man die Neigung der Bahn nennt.

## Störung des Knotens.

Das dritte Element, welches aus unsern drei Integralen bestimmt werden kann, ist die Länge des Knotens $K_1$ (siehe Fig. 9). Von der Lage der beiden Knoten $K_1$ und $K_2$ können wir, weil für die weitere Rechnung ohne Bedeutung, hier absehen.

Aus dem rechtwinkligen Dreiecke $K_1 K_2 Y$ folgt

$$\cos K_1 Y = \cos i_1 : \sin i_2.$$

Erwägt man nun, dafs auch die Länge $\curlyvee Y$ des unserer Wahl überlassenen Punkts $Y$ als bekannt zu betrachten ist, so ergiebt sich die gestörte (meist kurz durch $\Omega$ bezeichnete) Knotenlänge

$$\curlyvee K_1 = \curlyvee Y - \text{arc} \cos (\cos i_1 : \sin i_2).$$

## Störung der mittleren Anomalie.

Zur Bestimmung der gestörten Anomalie bedient man sich der früher entwickelten Gleichung $(x)$:

$$M = \left[ m_0 + \int_0^t \frac{dm}{dt}\, dt \right] + \left[ n_0 t + \int_0^t dt \int_0^t \frac{dn}{dt}\, dt \right],$$

in welcher

$m_0$ die mittlere Anomalie der Epoche (des Zeitpunktes d. Oskulation)
$n_0$ „ „ Bewegung „ „ und
$t$ die seit der Oskulation verlaufene Zeit bezeichnet, während

$$\frac{dm}{dt} = - \frac{1}{k\sqrt{a}} \left[ \left( 2r - \frac{p\cos\varphi}{\varepsilon} \right) P \cos QR + \frac{p+r}{\varepsilon} \sin\varphi \cdot P \cos QS \right] \cdots (y)$$

$$\frac{dn}{dt} = - 3 \left[ \frac{\sqrt{p}}{r\sqrt{a}} P \cos QS + \frac{\varepsilon \sin\varphi}{\sqrt{ap}} P \cos QR \right] \cdots \cdots (z)$$

zu setzen ist.

Man wird also zunächst die den verschiedenen Zeitpunkten $t$ entsprechenden Geschwindigkeiten der mittleren Anomalie

$$\frac{dM}{dt} = \frac{dm}{dt} + \left[ n_0 + \int_0^t \frac{dn}{dt}\, dt \right] = \frac{dm}{dt} + \frac{k}{a^{\frac{3}{2}}}$$

zu berechnen haben, was bereits die Herstellung eines Integrals, nämlich der gestörten mittleren Bewegung $\frac{k}{a^{\frac{3}{2}}}$, erfordert. Zu dem Ende kann man entweder die Gleichung $(z)$ integrieren und so

die Störung der mittleren Bewegung unmittelbar feststellen, oder
man kann vermöge der uns ebenfalls bekannten Gleichung:

$$\frac{da}{dt} = \frac{2a^2\sqrt{p}}{kr} \cdot P\cos QS + \frac{2a^2\varepsilon}{k\sqrt{p}}\sin\varphi \cdot P\cos QR$$

zuerst die gestörte mittlere Entfernung und daraus die mittlere
Bewegung bestimmen. Nehmen wir das letztere an, so muß
nach dem Verfahren der mechanischen Quadratur aus den verschiedenen, in den gewählten Zeitpunkten stattfindenden Werten
von

$$\frac{da}{dt}$$

letztere Größe als empirische Funktion der Zeit $t$ (vergl. u. A.
Astromech. d. Verf., S. 28) dargestellt werden, ehe die Integrationen für die einzelnen Intervalle ausgeführt werden können.

Erst nachdem so die verschiedenen Spezialwerte von

$$\frac{dM}{dt}$$

gefunden und letzteres wiederum auf eine empirische Funktion
der Zeit zurückgeführt, liefert eine nochmalige Integration den
Wert der mittleren Anomalie

$$M.$$

Mit diesen Andeutungen müssen wir uns hier begnügen, indem
wir wegen des Details der Rechnung auf Enckes Abhandlung
„Über mechanische Quadratur", Berl. Jahrb. 1837, verweisen.

### Störung der Exzentrizität.

Die Berechnung der mittleren Anomalie involviert bereits
diejenige der mittleren Entfernung

$$a.$$

Da wir außerdem auch den Semiparameter $p$ kennen, so folgt
die Exzentrizität aus der Gleichung

$$p = a(1 - \varepsilon^2).$$

### Störung der exzentrischen und wahren Anomalie.

Die exzentrische Anomalie $u$ ergiebt sich aus der mittleren
$M$ und der Exzentrizität $\varepsilon$ durch die Keplersche Gleichung

$$M = u - \varepsilon\sin u,$$

während die wahre Anomalie $\varphi$ aus $u$ und $\varepsilon$ mit Hilfe der Relation

$$\sqrt{1-\varepsilon} \cdot \operatorname{tg} \frac{\varphi}{2} = \sqrt{1+\varepsilon} \cdot \operatorname{tg} \frac{u}{2}$$

gefunden wird.

### Störung des Radiusvektors.

Aus $a$, $\varepsilon$, $\varphi$ oder $a$, $\varepsilon$, $u$ erhält man den Vektor mittelst der Polargleichungen:

$$r(1+\varepsilon \cos \varphi) = p$$
$$r = a(1-\varepsilon \cos u).$$

### Störung des Winkels ω.

Die unter No. 7 mitgeteilte Gleichung

$$\frac{d\omega}{dt} = \frac{d\varphi}{dt} - \frac{d(l-\Omega)}{dt}$$
$$= \frac{d\varphi}{dt} + \cos i \frac{d\Omega)}{dt},$$

oder in Integralform:

$$\int \frac{d\omega}{dt}\,dt = \int \frac{d\varphi}{dt}\,dt + \cos i \int \frac{d\Omega}{dt}\,dt$$

(da man bei jeder einzelnen Integration $\cos i$ als beständig betrachtet) lehrt, daß die Berechnung der Störung des Winkels zwischen dem Perihele und aufsteigenden Knoten nur noch die Ermittelung des Integrals

$$\int \frac{d\varphi}{dt}\,dt = \int \left( -\frac{(r+p)\sin\varphi}{\varepsilon k \sqrt{p}}\,P\cos QS + \frac{p\cos\varphi}{\varepsilon k \sqrt{p}}\,P\cos QR \right)\,dt$$

erfordert. Denn die Störung der Knotenlänge, d. h. das Integral

$$\int \frac{d\Omega}{dt}\,dt$$

ist bereits bekannt.

### Störung des Arguments der Breite.

Das Argument der Breite $K_1 B$ (s. Fig. 9) ist

$$= \varphi - \omega = l - \Omega,$$

wenn, wie bisher, unter $l$ die Länge $\curlyvee K_1 B$ des Planeten $P$ in der Bahn verstanden wird. Da die Störungen von

$$\varphi, \ \omega \ \text{und} \ \Omega$$

bereits gefunden sind, so hat man sowohl die Störung

des Arguments $\varphi - \omega$

als auch          der Länge $l$ in der Bahn.

## Störung der Breite.

Aus dem Dreiecke $K_1 B M$ (Fig. 9) erhält man die gestörte Breite $\beta$ durch die Gleichung

$$\sin \beta = \sin i_3 \sin (\varphi - \omega).$$

## Störung der Länge.

Die gestörte Länge in der Fundamentalebene ist

$$\lambda = \Upsilon M = \Upsilon K_1 + K_1 M = \Omega + K_1 M.$$

Die Knotenlänge $\Omega$ ist bereits bekannt, der Winkel $K_1 M$ aber durch die Gleichung gegeben:

$$\text{tg} \ K_1 M = \cos i_3 \cdot \text{tg} \ (\varphi - \omega).$$

## Störung der Parallelkoordinaten $x$, $y$, $z$.

Zuerst findet man die Koordinate

$$z = r \sin \beta.$$

Zur Bestimmung der beiden Koordinaten

$$y \ \text{und} \ z$$

wird man die Gleichungen in Anwendung bringen können:

$$r^2 = x^2 + y^2 + z^2$$
$$c_1 x + c_2 y + c_3 z = 0.$$

Die letztere Relation — welche bei konstantem $c_1$, $c_2$ und $c_3$ ausspricht, daß die Koordinaten $x$, $y$, $z$ einer Ebene genügen, die Planetenbewegung also in einer Ebene vor sich geht — ergiebt sich sehr einfach, wenn man die erste der Gleichungen

$$
\left.
\begin{aligned}
c_1 &= y \frac{dz}{dt} - z \frac{dy}{dt} \\[2mm]
c_2 &= z \frac{dx}{dt} - x \frac{dz}{dt} \\[2mm]
c_3 &= x \frac{dy}{dt} - y \frac{dx}{dt}
\end{aligned}
\right\} \text{vergl. Seite 56}
$$

mit $x$, die zweite mit $y$ und die dritte mit $z$ multipliziert und die Summe der drei Gleichungen bildet.

Einfacher zum Ziele kommt man mit den Gleichungen

$$\left.\begin{array}{l} z = r \sin \beta \\ y = r \cos \beta \sin (\lambda - \Theta) \\ x = r \cos \beta \sin (\lambda - \Theta) \end{array}\right\} \cdots \cdots (m),$$

wenn mit $\Theta$ der Winkel $\curlyvee X$ (s. Fig. 9) angedeutet wird, den man gleich Null setzt, im Falle die Achse der $x$ durch den Frühlingspunkt $\curlyvee$ gelegt wird.

## Störung der Koordinatengeschwindigkeiten.

### 1. *Polarkoordinaten.*

Die Geschwindigkeiten der wahren Anomalie und des Radiusvektors sind wie in der elliptischen Bewegung, durch die Gleichungen

$$\frac{d\varphi}{dt} = \frac{k\sqrt{p}}{r^2}$$

$$\frac{dr}{dt} = \frac{k\varepsilon}{\sqrt{p}} \sin \varphi \cdots \cdots (1)$$

gegeben; nur sind für $p$, $\varepsilon$, $r$ und $\varphi$ die gestörten Werte zu nehmen. Ersetzt man in den Gleichungen sub II und III der Hilfsätze

$$\frac{dl}{dt} \text{ durch } \frac{d\varphi}{dt} \text{ (Fig. 6),}$$

so ergiebt sich für die Geschwindigkeit der Länge

$$\frac{d\lambda}{dt} = \frac{\cos i}{\cos^2 \beta} \cdot \frac{d\varphi}{dt},$$

also

$$\frac{d\lambda}{dt} = \frac{k\sqrt{p} \cdot \cos i}{r^2 \cos^2 \beta} \cdots \cdots (2)$$

und für die Geschwindigkeit der Breite

$$\frac{d\beta}{dt} = \operatorname{tg} \beta \operatorname{cotg} (l - \Omega) \frac{d\varphi}{dt},$$

oder

$$\frac{d\beta}{dt} = \frac{k\sqrt{p} \operatorname{tg} \beta \operatorname{cotg} (l - \Omega)}{r^2} \cdots (3).$$

### 2. *Parallelkoordinaten.*

Aus den Geschwindigkeiten der Polarkoordinaten folgen die der Parallelkoordinaten:

5*

$$dz = \sin \beta \, dr + r \cos \beta \, d\beta$$
$$dy = \cos \beta \sin \lambda \, dr + r \cos \beta \cos \lambda \, d\lambda - r \sin \lambda \sin \beta \, d\beta$$
$$dx = \cos \beta \cos \lambda \, dr - r \sin \beta \cos \lambda \, d\beta - r \cos \beta \sin \lambda \, d\lambda,$$

wenn man in den Gleichungen $(m)$ der Einfachheit wegen

$$\Theta = 0$$

annimmt. Übrigens könnte man zu dem vorliegenden Zwecke auch die Gleichungen der Flächengeschwindigkeiten benutzen:

$$c_1 = y \frac{dz}{dt} - z \frac{dy}{dt}$$

$$c_2 = z \frac{dx}{dt} - x \frac{dz}{dt}$$

$$c_3 = x \frac{dy}{dt} - y \frac{dx}{dt}$$

in Verbindung mit der Relation:

$$\frac{dr}{dt} = \frac{k\varepsilon}{\sqrt{p}} \sin \varphi = \frac{x}{r} \frac{dx}{dt} + \frac{y}{r} \frac{dy}{dt} + \frac{z}{r} \frac{dz}{dt}.$$

Denn die drei ersten Gleichungen sind für sich allein zur Bestimmung der Geschwindigkeiten nicht ausreichend — infolge der zwischen ihnen stattfindenden Beziehung

$$c_1 x + c_2 y + c_3 z = 0.$$

# D.

# Die Störung der Flächengeschwindigkeit und der mittleren Entfernung als Basis der gesamten Störungsrechnung.

Für die eben abgeschlossenen Entwickelungen ist besonders bezeichnend, daß die zur Bahnebene senkrechte Störungskomponente

$$P \cos QW$$

in dieser expliziten Form überhaupt nicht zur Anwendung kommt. Denn die einzigen Elemente, deren Störung durch sie bedingt ist,

die Neigung und Knotenlänge,

werden im vorliegenden Falle aus den gestörten Flächengeschwindigkeiten und diese selbst unmittelbar aus den rechtwinkligen Komponenten der störenden Kraft hergeleitet.

Aber auch alle anderen Störungen lassen sich leicht, mit Umgehung der Kräfte

$$P \cos QR \quad \text{und} \quad P \cos QS,$$

durch die orthogonalen Komponenten

$$\frac{d^2 \delta x}{dt^2}, \quad \frac{d^2 \delta y}{dt^2}, \quad \frac{d^2 \delta z}{dt^2}$$

ausdrücken, oder, richtiger gesagt: Man kann ebenso wie die Störung der Flächengeschwindigkeit und ihrer Komponenten auch diejenige der mittleren Entfernung in sehr einfacher Weise durch die rechtwinkligen Komponenten darstellen und dann alle weiteren Störungsgeschwindinkeiten auf diese beiden

$$\frac{dC}{dt} \quad \text{und} \quad \frac{da}{dt}$$

zurückführen.

Das Charakteristische dieses Verfahrens besteht also darin, daſs an Stelle der nach Richtung der Polarkoordinaten zerlegten Kräfte

$$P \cos QW, \quad P \cos QS, \quad P \cos QR$$

gewisse Funktionen derselben, insbesondere die Störungeschwindigkeiten

$$\frac{dC}{dt} \text{ und } \frac{da}{dt}$$

eingeführt werden.

Um eine vollständige Übersicht der gesamten Rechnung zu gewinnen, sei hier nochmals daran erinnert, daſs aus den Störungen der Flächengeschwindigkeiten

$$
\left.
\begin{aligned}
\frac{dc_1}{dt} &= -k^2 m_1 (yz_1 - zy_1)\left(\frac{1}{r_1{}^3} - \frac{1}{\varrho^3}\right) \\
\frac{dc_2}{dt} &= -k^2 m_1 (zx_1 - xz_1)\left(\frac{1}{r_1{}^3} - \frac{1}{\varrho^3}\right) \\
\frac{dc_3}{dt} &= -k^2 m_1 (xy_1 - yx_1)\left(\frac{1}{r_1{}^3} - \frac{1}{\varrho^3}\right)
\end{aligned}
\right\} \cdots\cdots (\alpha_1)
$$

in der oben gezeigten Weise zunächst die drei Elemente

Parameter, Neigung und Knotenlänge

entwickelt werden.

Da ferner aus der Gleichung

$$C^2 = k^2 p$$

sich ergiebt:

$$\frac{dp}{dt} = \frac{2}{k^2} C \frac{dC}{dt},$$

aber nach dem Früheren:

$$C\frac{dC}{dt} = c_1 \frac{dc_1}{dt} + c_2 \frac{dc_2}{dt} + c_3 \frac{dc_3}{dt}$$

$$= -k^2 m_1 \left(\frac{1}{r_1{}^3} - \frac{1}{\varrho^3}\right)[c_1(yz_1 - zy_1) + c_2(zx_1 - xz_1) + c_3(xy_1 - yx_1)] \cdots (\alpha_2)$$

so ist auch

$$\frac{dp}{dt} \text{ oder } C\frac{dC}{dt}$$

durch die vorangegangene Rechnung ohne Weiteres als gegeben zu betrachten.

Die weitere Rechnung gestaltet sich dann folgendermaſsen:

## 1. Störung der mittleren Entfernung $a$.

Durch Variation der bekannten Gleichung:

$$\frac{1}{a} = \frac{2}{r} - \frac{v^2}{k^2}$$

$$= \frac{2}{r} - \frac{1}{k^2}\left[\left(\frac{dx}{dt}\right)^2 + \left(\frac{dy}{dt}\right)^2 + \left(\frac{dz}{dt}\right)^2\right]$$

wird erhalten:

$$\frac{da}{dt} = \frac{2a^2}{k^2}\left[\frac{dx}{dt}\cdot\frac{d^2\delta x}{dt^2} + \frac{dy}{dt}\cdot\frac{d^2\delta y}{dt^2} + \frac{dz}{dt}\cdot\frac{d^2\delta z}{dt^2}\right],$$

oder nach (I$\alpha$), Seite 55:

$$\frac{da}{dt} = 2m_1 a^2\left[\left(x_1\frac{dx}{dt} + y_1\frac{dy}{dt} + z_1\frac{dz}{dt}\right)\left(\frac{1}{\varrho^3} - \frac{1}{r_1{}^3}\right)\right.$$

$$\left. - \left(x\frac{dx}{dt} + y\frac{dy}{dt} + z\frac{dz}{dt}\right)\frac{1}{\varrho^3}\right] \cdots \cdots (\alpha_3).$$

Vermöge der beiden Gleichungen ($\alpha_2$) und ($\alpha_3$) ist es nunmehr gestattet, die Geschwindigkeiten

$$\frac{dp}{dt} \text{ und } \frac{da}{dt}$$

als bekannte Gröfsen zu behandeln.

## 2. Störung der Exzentrizität $\varepsilon$.

Obwohl an dieser Stelle der Semiparameter $p$ und die mittlere Entfernung $a$ bereits gefunden sind, demnach die gestörte Exzentrizität einfach durch die Relation

$$p = a(1 - \varepsilon^2)$$

bestimmbar ist, so findet doch auch die Geschwindigkeit dieser letzteren Störung in Zukunft als blofse Hilfsgröfse Verwendung, nämlich als Funktion der Fundamentalgeschwindigkeiten $\frac{dp}{dt}$ und $\frac{da}{dt}$.

Die vorstehende Gleichung liefert:

$$\frac{d\varepsilon}{dt} = \frac{1}{2a^2\varepsilon}\left(p\frac{da}{dt} - a\frac{dp}{dt}\right) \cdots \cdots (\alpha_4).$$

## 3. Störung des Perihels.

Nach dem Früheren hat man:

$$\frac{d\varphi}{dt} = \frac{1}{\varepsilon\sin\varphi}\left(\cos\varphi\frac{d\varepsilon}{dt} - \frac{1}{r}\frac{dp}{dt}\right) \cdots \cdots (\alpha_5).$$

## 4. Störung des Winkels $\omega$ zwischen Perihel und Knoten.

Es ist, wie oben bereits gezeigt:

$$\int \frac{d\omega}{dt}\, dt = \int \frac{d\varphi}{dt}\, dt + \cos i \int \frac{d\Omega}{dt}\, dt \cdots\cdots (\alpha_6).$$

Da wir die gestörte Knotenlänge, also das letzte Glied der vorliegenden Gleichung, schon kennen, so bedarf es nur noch der Herstellung des Integrals

$$\int \frac{d\varphi}{dt}\, dt$$

auf Grund der Relation $(\alpha_5)$.

## 5. Störung der mittleren Anomalie $m_0$ der Epoche.

Dieselbe ergiebt sich aus der im Vorhergehenden ebenfalls begründeten Gleichung:

$$\frac{dm}{dt} = \frac{r}{\sqrt{ap}} \left( \frac{r}{a} \frac{d\varphi}{dt} - \frac{p+r}{p} \sin \varphi \frac{d\varepsilon}{dt} \right) \cdots\cdots (\alpha_7).$$

## 6. Störung der mittleren Bewegung $n_0$ der Epoche.

Im Falle die mittlere Entfernung $a$ bereits festgestellt ist, was wir hier voraussetzen, so erhält man die gestörte mittlere Bewegung $n$ durch die Gleichung

$$n = \frac{k}{a^{\frac{3}{2}}}.$$

Eine direkte Bestimmung der Störung von $n_0$ würde mit der Gleichung:

$$\frac{dn}{dt} = -\frac{3}{2} \frac{k}{a^{\frac{5}{2}}} \cdot \frac{da}{dt}$$

auszuführen sein.

## 7. Störung der mittleren Anomalie $M$ zur Zeit $t$ nach der Epoche.

Die Wirkung der beiden vorhergehenden Störungen zeigt sich in der mittleren Anomalie $M$, welche zur Zeit $t$ nach der Epoche durch die Gleichung gegeben ist:

$$M = \int \frac{dm}{dt}\, dt + \int n\, dt.$$

# E.

## Die Störungen
## der Parallelkoordinaten und Elemente,
## dargestellt durch allgemeine Reihen.

---

Die Entwickelungen der Abschnitte $B$, $C$ und $D$ betrafen ausschliefslich die zur Berechnung spezieller Störungen geeigneten Formeln. Dieselben liefern die Abweichungen von der elliptischen Bahn nicht — wie dies in der Theorie der sogen. absoluten Störungen der Fall ist — in der Form allgemeiner Funktionen der Zeit, sondern geben nur die Geschwindigkeiten der Störungen als Funktionen von Gröfsen, welche mit der Zeit sich ändern und für jede Zeit mit einem beliebig hohen, wenn auch erst allmählich erreichbaren Grade von Annäherung bestimmt werden können, so dafs die Möglichkeit vorliegt, aus diesen für eine Reihe von Zeitpunkten berechneten Geschwindigkeiten durch mechanisches Quadrieren die Beträge der Störungen selbst zu ermitteln — zunächst für einen beschränkten, dann aber für jeden noch so grofsen Zeitraum, der ja stets in Intervalle von angemessener Kleinheit zerlegt werden kann.

Es liegt nun zwar unserem Zwecke fern, auch die absoluten, d. h. allgemeinen Störungen in den Bereich unserer Betrachtungen zu ziehen. Doch glauben wir dem Leser einen Dienst zu erweisen, wenn wir zum Schlusse seine Aufmerksamkeit noch auf einige Reihen lenken, welche die Parallelkoordinaten eines gestörten Körpers mit völliger Allgemeinheit, selbst mit Berücksichtigung der Störungen des störenden Himmelskörpers, als Funktionen der Zeit und gewisser Anfangskonstanten darstellen, welche deshalb als die allgemeinen Integrale der Differentialgleichungen des s. g Problems der drei Körper zu betrachten sind. Schon aus diesem Grunde und weil ein anderes allgemeines Integral bis jetzt nicht hergestellt ist, wohl auch kaum jemals gefunden werden wird, dürften jene Reihen ein erhöhtes Interesse für sich in Anspruch nehmen. Daran ändert nichts der Umstand, daſs jene Reihen wegen der im Verlaufe der Zeit mehr und mehr abnehmenden Konvergenz zu **allgemeinen** Rechnungen unbrauchbar sind — zumal sie vielleicht das einfachste und natürlichste Mittel darbieten, zunächst für kleinere Zeitabschnitte und nächstdem für willkürlich groſse, aus solchen Intervallen zusammengesetzte Zeiträume · die numerischen **Werte** der Störungen aufzufinden.

Nehmen wir an, für den Anfangspunkt der Zeit $t$ (den Oskulationszeitpunkt) seien gegeben:

1. die Koordinaten und Geschwindigkeiten des gestörten Körpers

$$x_0, \ y_0, \ z_0$$
$$\frac{dx_0}{dt}, \ \frac{dy_0}{dt}, \ \frac{dz_0}{dt}$$

2. dieselben Gröſsen für den störenden Körper

$$x_0{}^1, \ y_0{}^1, \ z_0{}^1$$
$$\frac{dx_0{}^1}{dt}, \ \frac{dy_0{}^1}{dt}, \ \frac{dz_0{}^1}{dt},$$

so sind nach dem Gravitationsgesetze auch die zweiten Differentialquotienten als bekannt zu betrachten, da

$$\left. \begin{aligned}
\frac{d^2x_0}{dt^2} &= -\frac{f_{(1+m)}\,x_0}{r_0{}^3} + \frac{fm_1(x_0{}^1 - x_0)}{\varrho_0{}^3} - \frac{fm_1 x_0{}^1}{r_0{}'^3} \\
\frac{d^2y_0}{dt^2} &= -\frac{f_{(1+m)}\,x_0}{r_0{}^3} + \frac{fm_1(y_0{}^1 - y_0)}{\varrho_0{}^3} - \frac{fm_1 y_0{}^1}{r_0{}'^3} \\
\frac{d^2z_0}{dt^2} &= -\frac{f_{(1+m)}\,z_0}{r_0{}^3} + \frac{fm_1(z_0{}^1 - z_0)}{\varrho_0{}^3} - \frac{fm_1 z_0{}^1}{r_0{}'^3}
\end{aligned} \right\} \ \cdots\cdots \ (\text{I})$$

$$\left. \begin{aligned}
\frac{d^2x_0{}^1}{dt^2} &= -\frac{f_{(1+m_1)}x_0{}^1}{r_0{}'^3} + \frac{fm(x_0 - x_0{}^1)}{\varrho_0{}^3} - \frac{fm\,x_0}{r_0{}^3} \\
\frac{d^2y_0{}^1}{dt^2} &= -\frac{f_{(1+m_1)}y_0{}^1}{r_0{}'^3} + \frac{fm(y_0 - y_0{}^1)}{\varrho_0{}^3} - \frac{fm\,y_0}{r_0{}^3} \\
\frac{d^2z_0{}^1}{dt^2} &= -\frac{f_{(1+m_1)}z_0{}^1}{r_0{}'^3} + \frac{fm(z_0 - z_0{}^1)}{\varrho_0{}^3} - \frac{fm\,z_0}{r_0{}^3}
\end{aligned} \right\} \ \cdots\cdots \ (\text{II}).$$

Alle höheren Differentialquotienten aber lassen sich gleichfalls auf die Koordinaten und ihre Geschwindigkeiten zurückführen. So ist beispielsweise der Quotient dritter Ordnung

$$\frac{d^3 x_0}{dt^3} = \frac{f_{(1+m)}}{r_0{}^3}\left[\frac{3x_0}{r_0}\frac{dr_0}{dt} - \frac{dx_0}{dt}\right] + \frac{fm_1}{r_{,,}{}'^3}\left[\frac{3x_0{}^1}{r_0{}'}\frac{dr_0{}^1}{dt} - \frac{dx_0{}^1}{dt}\right]$$

$$+ \frac{fm_1}{\varrho_0{}^3}\left[\frac{dx_0{}^1}{dt} - \frac{dx_0}{dt}\right] - \frac{3fm_1(x_0{}^1 - x_0)}{\varrho_0{}^4}\frac{d\varrho_0}{dt} \ \ldots \ldots \ (i),$$

wobei man sich — in Bezug auf die Bildung von $\frac{dr_0}{dt}$, $\frac{dr_0{}^1}{dt}$, $\frac{d\varrho_0}{dt}$ — nur zu erinnern hat, daſs

$$r_0{}^2 = x_0{}^2 + y_0{}^2 + z_0{}^2$$
$$r_0{}'^2 = x_0{}'^2 + y_0{}'^2 + z_0{}'^2$$
$$\varrho_0{}^2 = (x_0{}^1 - x_0)^2 + (y_0{}^1 - y_0)^2 + (z_0{}^1 - z_0)^2.$$

Die in den Quotienten vierter und noch höherer Ordnung immer wieder erscheinenden Quotienten

$$\frac{d^2 x_0}{dt^2}, \ \frac{d^2 x_0{}'}{dt^2} \text{ u. s. f.}$$

sind selbstverständlich stets durch ihre in (I) und (II) gegebenen Ausdrücke zu beseitigen.

Betrachten wir nun die Koordinaten $x$, $y$, $z$ als Funktionen der Zeit $t$, indem wir setzen

$$x = f(t)$$
$$y = \varphi(t)$$
$$z = \psi(t)$$

und entwickeln, wie zuerst Euler gethan, nach dem Lehrsatze des Maklaurin, so ergiebt sich:

$$\left.\begin{aligned}
x = x_0 &+ \frac{dx_0}{dt}\cdot\frac{t}{1} + \frac{d^2 x_0}{dt}\cdot\frac{t^2}{1\cdot 2} + \frac{d^3 x_0}{dt^3}\cdot\frac{t^3}{1\cdot 2\cdot 3} + \cdots \\
&+ \frac{d^n x_0}{dt^n}\cdot\frac{t^n}{n!} + \frac{d^{n+1}f(\alpha_1\cdot t)}{dt^{n+1}}\cdot\frac{t^{n+1}}{(n+1)!} \\
y = y_0 &+ \frac{dy_0}{dt}\cdot\frac{t}{1} + \frac{d^2 y_0}{dt^2}\cdot\frac{t^2}{1\cdot 2} + \frac{d^3 y_0}{dt^3}\cdot\frac{t^3}{1\cdot 2\cdot 3} + \cdots \\
&+ \frac{d^n y_0}{dt^n}\cdot\frac{t^n}{n!} + \frac{d^{n+1}\varphi(\alpha_2\cdot t)}{dt^{n+1}}\cdot\frac{t^{n+1}}{(n+1)!} \\
z = z_0 &+ \frac{dz_0}{dt}\cdot\frac{t}{1} + \frac{d^2 z_0}{dt^2}\cdot\frac{t^2}{1\cdot 2} + \frac{d^3 z_0}{dt^3}\cdot\frac{t^3}{1\cdot 2\cdot 3} + \cdots \\
&+ \frac{d^n z_0}{dt^n}\cdot\frac{t^n}{n!} - \frac{d^{n+1}\psi(\alpha_3\cdot t)}{dt^{n+1}}\cdot\frac{t^{n+1}}{(n+1)!}
\end{aligned}\right\} \ \ldots\ldots \ (III).$$

Die letzten Glieder dieser Gleichungen, in welchen $\alpha_1$, $\alpha_2$, $\alpha_3$ drei positive Zahlen zwischen Null und der Einheit bedeuten, bilden die s. g. Reste der Reihen. Dieselben sind konvergent unter den für die Maklaurinsche Reihe giltigen Bedingungen. Vergleicht man sie mit der Exponentialreihe

$$e^t = 1 + \frac{t}{1} + \frac{t^2}{1 \cdot 2} + \frac{t^3}{1 \cdot 2 \cdot 3} + \cdots\cdots,$$

welche für jeden endlichen Wert von $t$ konvergiert, so erkennt man leicht, daß auch die Gleichungen (III) eine endliche Grenze haben, wenn sämtliche Differentialquotienten

$$x_0, \; \frac{dx_0}{dt}, \; \frac{d^2x_0}{dt^2}, \; \frac{d^3x_0}{dt^3}, \; \cdots\cdots$$

$$y_0, \; \frac{dy_0}{dt}, \; \frac{d^2y_0}{dt^2}, \; \frac{d^3y_0}{dt^3}, \; \cdots\cdots$$

$$z_0, \; \frac{dz_0}{dt}, \; \frac{d^2z_0}{dt^2}, \; \frac{d^3z_0}{dt^3}, \; \cdots\cdots$$

endliche Werte haben.

Da im vorliegenden Falle die Koordinaten

$$x, \; y, \; z$$

aus den zweiten, durch das Gravitationsgesetz gegebenen Differentialquotienten

$$\frac{d^2x}{dt^2}, \; \frac{d^2y}{dt^2}, \; \frac{d^2z}{dt^2}$$

erzeugt werden, so sind die als bekannt vorausgesetzten Wertpaare

$$x_0, \; \frac{dx_0}{dt}$$

$$y_0, \; \frac{dy_0}{dt}$$

$$z_0, \; \frac{dz_0}{dt}$$

als die Integrationskonstanten zu betrachten.

Man kann aber der Entwickelung auch eine andere, in manchen Fällen vorzuziehende Form geben. Bezeichnet man nämlich die Integrationskonstanten vorläufig mit

$$A_1, \; B_1$$
$$A_2, \; B_2$$
$$A_3, \; B_3,$$

so darf man setzen:

$$x = A_1 + B_1 t + \int dt \int \frac{d^2x}{dt^2}\, dt$$

$$y = A_2 + B_2 t + \int dt \int \frac{d^2y}{dt^2}\, dt$$

$$z = A_3 + B_3 t + \int dt \int \frac{d^2z}{dt^2}\, dt.$$

Zerlegt man nun mit Hilfe der Formel der teilweisen Integration

$$\int u\, dv = uv - \int v\, du$$

die Doppelintegrale in zwei einfache Integrale, indem

$$dv = dt$$
$$\int \frac{d^2x}{dt^2} = u$$

u. s. f. setzt, so erhält man weiter:

$$x = A_1 + B_1 t + t\int \frac{d^2x}{dt^2}\, dt - \int t\frac{d^2x}{dt^2}\, dt$$

$$y = A_2 + B_2 t + t\int \frac{d^2y}{dt^2}\, dt - \int t\frac{d^2y}{dt^2}\, dt$$

$$z = A_3 + B_3 t + t\int \frac{d^2z}{dt}\, dt - \int t\frac{d^2z}{dt}\, dt.$$

Wendet man hierauf zur Entwickelung der einfachen Integrale entweder wiederum die partielle Integration oder auch die Reihe des Joh. Bernoulli an, so ergiebt sich:

$$t\int \frac{d^2x}{dt^2}\, dt = t\left[\frac{t}{1}\frac{d^2x}{dt^2} - \frac{t^2}{1\cdot2}\frac{d^3x}{dt^3} + \frac{t^3}{1\cdot2\cdot3}\frac{d^4x}{dt^4} + \cdots\cdots\right.$$
$$\left.\pm \frac{t^n}{n!}\frac{d^{n+1}x}{dt^{n+1}} \mp \int \frac{t^n}{n!}\frac{d^{n+2}x}{dt^{n+2}}\, dt\right]$$

$$-\int t\frac{d^2x}{dt^2} = -\frac{t^2}{1\cdot2}\frac{d^2x}{dt^2} + \frac{t^3}{1\cdot2\cdot3}\frac{d^2x}{dt^2} - \frac{t^4}{4!}\frac{d^4x}{dt^4} + \cdots$$
$$\pm \frac{t^{n+1}}{(n+1)!}\frac{d^{n+1}x}{dt^{n+1}} - \int \frac{t^{n+1}}{(n+1)!}\frac{d^{n+2}x}{dt^{n+2}}\, dt.$$

Damit wird:

$$x = A_1 + B_1 t + \frac{1\cdot t^2}{1\cdot2}\frac{d^2x}{dt^2} - \frac{2t^3}{3!}\frac{d^3x}{dt^3} + \frac{3t^4x}{dt^4} - \cdots\cdots$$
$$\pm \frac{nt^{n+1}}{(n+1)!}\frac{d^{n+1}x}{dt^{n+1}} \mp \left[t\int \frac{t^n}{n!}\frac{d^{n+2}x}{dt^{n+2}}\, dt \mp \int \frac{t^{n+1}}{(n+1)!}\frac{d^{n+2}x}{dt^{n+2}}\, dt\right],$$

wo die oberen oder unteren Vorzeichen zu nehmen sind, je nachdem $n$ ungerad oder gerad ist.

Ebenso findet man:

$$y = A_2 + B_2 t + \frac{1 \cdot t^2}{2!} \frac{d^2 y}{dt} - \frac{2 t^3}{3!} \frac{d^3 x}{dt^3} + \frac{3 t^4}{4!} \frac{d^4 x}{dt^4} - \cdots$$

$$z = A_3 + B_3 t + \frac{1 \cdot t^2}{2!} \frac{d^2 z}{dt^2} - \cdots$$

Man überzeugt sich leicht, daß die Integrationskonstanten

$$A_1, \ A_2, \ A_3$$

mit den zur Zeit $t = 0$ stattfindenden Werten

$$x_0, \ y_0, \ z_0$$

der Koordinaten, hingegen die Integrationskonstanten

$$B_1, \ B_2, \ B_3$$

mit den Anfangswerten

$$\frac{dx_0}{dt}, \ \frac{dy_0}{dt}, \ \frac{dz_0}{dt}$$

der Geschwindigkeiten zusammenfallen.

Hiernach folgt schließlich:

$$\left. \begin{aligned}
x &= x_0 + \frac{dx_0}{dt} \cdot t + \frac{d^2 x}{dt^2} \cdot \frac{1 \cdot t^2}{1 \cdot 2} - \frac{d^3 x}{dt^3} \cdot \frac{2 t^3}{3!} \\
&\qquad + \frac{d^4 x}{dt^4} \cdot \frac{3 t^4}{4!} - \cdots \\
y &= y_0 + \frac{dy_0}{dt} \cdot t + \frac{d^2 y}{dt^2} \cdot \frac{1 \cdot t^2}{1 \cdot 2} - \frac{d^3 y}{dt^3} \cdot \frac{2 t^3}{3!} \\
&\qquad + \frac{d^4 y}{dt^4} \cdot \frac{3 t^4}{4!} - \cdots \\
z &= z_0 + \frac{dz_0}{dt} \cdot t + \frac{d^2 z}{dt^2} \cdot \frac{1 \cdot t^2}{1 \cdot 2} - \frac{d^3 z}{dt^3} \cdot \frac{2 t^3}{3!} \\
&\qquad + \frac{d^4 z}{dt^4} \cdot \frac{3 t^4}{4!} - \cdots
\end{aligned} \right\} \cdots (IV).$$

Die Bedingungen der Konvergenz sind dieselben wie die der Reihen (III). Beide Reihensysteme unterscheiden sich nur dadurch, daß in dem einen sich sämtliche Differentialquotienten auf den Anfangspunkt, in dem anderen auf den Endpunkt des Zeitintervalls beziehen, mit Ausnahme der als Integrationskonstanten zu betrachtenden Größen

$$x_0, \ \frac{dx_0}{dt}, \ y_0, \cdots,$$

welche stets dem Anfangspunkte zugehören.

Obgleich den Reihén (III) und (IV) der Charakter eines allgemeinen Integrals zukommt, so ist ihre Anwendung zu allgemeinen numerischen Rechnungen doch, schon durch die höchst umständliche Entwickelung der höheren Differentialquotienten ausgeschlossen. Hingegen zu speziellen Rechnungen scheinen die Reihen um so besser geeignet. Wir wissen, daſs irgend eine momentane Ellipse völlig bestimmt ist, wenn die ihrer Zeit entsprechenden Koordinaten nebst Geschwindigkeiten, also:

$$x, \quad y, \quad z$$
$$\frac{dx}{dt}, \frac{dy}{dt}, \frac{dz}{dt}$$

bekannt sind. Die Rechnung wird sich deshalb für die einzelnen zum voraus bestimmten Zeitpunkte lediglich auf diese Gröſsen zu richten haben. Wählt man diese Zeitpunkte einander nahe genug (in dem unten folgenden Beispiele um je 20 Tage auseinanderliegend), so wird man die Reihen kaum weiter als bis zum dritten Differentialquotient einschl. zu berücksichtigen haben — sofern es sich um die Störungen handelt. Dennoch würde selbst die g e w ö h n l i c h e Berechnung dieses letzteren Quotienten zu beträchtlichen Weiterungen führen. Wir wollen deshalb — ehe wir zur Berechnung eines konkreten Falles übergehen — zunächst einen sehr einfachen Weg andeuten, auf dem man zu den Werten der dritten und vierten Quotienten gelangen kann, ein Verfahren, welches übrigens — wie wir in dem Abschnitte „Störung der Elemente" sehen werden — bis zu jedem verlangten Grade astronomischer Genaunigkeit erweitert werden kann. Bezeichnet man die zu drei verschiedenen, durch die Intervalle $t_1$ und $t_2$ getrennten Zeiten stattfindenden Differentialquotienten zweiter Ordnung durch

$$\frac{d^2x_1}{dt^2}, \frac{d^2x_2}{dt^2}, \frac{d^2x_3}{dt^2},$$

so hat man nach dem M a c l a u r i n schen Satze:

$$\frac{d^2x_1}{dt^2} = \frac{d^2x_2}{dt^2} - \frac{d^3x_2}{dt^3} \cdot \frac{t^1}{1} + \frac{d^4x^2}{dt^4} \cdot \frac{t_1{}^2}{2} - \frac{d^5x_2}{dt^5} \cdot \frac{t_1{}^3}{6} + \cdots\cdots$$

$$\frac{d^2x_3}{dt^2} = \frac{d^2x_2}{dt^2} + \frac{d^3x_2}{dt^3} \cdot \frac{t_2}{1} + \frac{d^4x_2}{dt^4} \cdot \frac{t_2{}^2}{2} + \frac{d^5x_2}{dt^5} \cdot \frac{t_1{}^3}{6} + \cdots\cdots$$

woraus bis auf Gröſsen f ü n f t e r Ordnung sich ergiebt:

$$\frac{d^3x_2}{dt^3} = \frac{1}{t_1 t_2 (t_1 + t_2)} \left[ t_1{}^2 \frac{d^2x_3}{dt^2} - t_2{}^2 \frac{d^2x_1}{dt^2} - (t_1{}^2 - t_2{}^2) \frac{d^2x_2}{dt^2} \right]$$

$$\frac{d^4x_2}{dt^4} = \frac{2}{t_1 t_2 (t_1 + t_2)} \left[ t_2 \frac{d^2x_1}{dt^2} + t_1 \frac{d^2x_3}{dt^2} - (t_1 + t_2) \frac{d^2x_2}{dt^2} \right],$$

Wählt man, wie gewöhnlich, gleiche Zeitintervalle, so verein-
fachen sich die Gleichungen in:

$$\left. \begin{aligned}
\frac{d^3x_1}{dt^3} &= \frac{1}{2t_1} \left[ \frac{d^2x_3}{dt^2} - \frac{d^2x_1}{dt^2} \right] \\
\frac{d^4x_2}{dt^4} &= \frac{1}{t_1{}^2} \left[ \frac{d^2x_1}{dt^2} + \frac{d^2x_3}{dt^2} - 2 \frac{d^2x_2}{dt^2} \right]
\end{aligned} \right\} \cdot \cdot \cdot \cdot \cdot \cdot \; \text{(V)}.$$

Dieselben bieten dann ein sehr bequemes Mittel, um aus drei
aufeinanderfolgenden Differentialquotienten **zweiter Ordnung**
den dritten und vierten Quotienten des **mittleren Orts** zu
finden. Wird nur eine Genauigkeit bis zu den Gröfsen vierter
Ordnung verlangt, was der Regel nach völlig befriedigende
Resultate liefern dürfte, so kann man nach den obigen Reihen
auch setzen:

$$\left. \begin{aligned}
\frac{d^3x_2}{dt^2} &= \frac{1}{t_1} \left[ \frac{d^2x_2}{dt^2} - \frac{d^2x_1}{dt^2} \right] \\
\frac{d^3x_2}{dt^2} &= \frac{1}{t_2} \left[ \frac{d^2x_3}{dt^2} - \frac{d^2x_2}{dt^2} \right]
\end{aligned} \; \text{oder auch:} \right\} \cdot \cdot \cdot \cdot \cdot \; \text{(V}\alpha\text{)}.$$

## Berechnung der Koordinatenstörungen.

Subtrahiert man von der gestörten Koordinate

$$x_1 = x_0 + \frac{dx_0}{dt} \cdot \frac{t_1}{1} + \frac{d^2x_0}{dt^2} \cdot \frac{t_1{}^2}{2} + \frac{d^3x_0}{dt^3} \cdot \frac{t_1{}^3}{6} + \cdot \cdot \cdot \cdot \cdot$$

ihren ungestörten elliptischen Wert

$$\xi_1 = \xi_0 + \frac{d\xi_0}{dt} \cdot \frac{t_1}{1} + \frac{d^2\xi_0}{dt^2} \cdot \frac{t_1{}^2}{2} + \frac{d^3\xi_0}{dt^3} \cdot \frac{t_1{}^3}{6} + \cdot \cdot \cdot \cdot \cdot,$$

so ergiebt sich, wenn man beachtet, dafs der Index Null sich
auf den Zeitpunkt der Oskulation bezieht, demnach die Gleichungen bestehen:

$$y_0 = \xi_0$$
$$\frac{dx_0}{dt} = \frac{d\xi_0}{dt}$$

die Reihe:

$$x_1 - \xi_1 = \frac{d^2(x_0 - \xi_0)}{dt^2} \cdot \frac{t_1{}^2}{2} + \frac{d^3(x_0 - \xi_0)}{dt^3} \cdot \frac{t_1{}^3}{6} + \cdot \cdot \cdot \cdot \cdot$$

**Wird die Störung**

allgemein durch
$$x - \xi$$
$$\triangle x$$

bezeichnet, so folgt für die Störung am Ende des 1. Zeitintervalls nach der Oskulation:

$$\triangle x_1 = \frac{d^2 \triangle x_0}{dt^2} \cdot \frac{t_1{}^2}{2} + \frac{d^3 \triangle x_0}{dt^3} \cdot \frac{t_1{}^3}{6} + \cdots$$

Durch die Eulersche Reihe erhält man für die Werte der Störungen am Ende der folgenden Intervalle:

$$\triangle x_2 = \triangle x_1 + \frac{d \triangle x_1}{dt} \cdot \frac{t_1}{2} + \frac{d^2 \triangle x_1}{dt^2} \cdot \frac{t_1{}^2}{2} + \frac{d^3 \triangle x_1}{dt^3} \cdot \frac{t_1{}^3}{6} + \cdots$$

$$\triangle x_3 = \triangle x_2 + \frac{d \triangle x_2}{dt} \cdot \frac{t_1}{2} + \frac{d^2 \triangle x_2}{dt^2} \cdot \frac{t_1{}^2}{2} + \frac{d^3 \triangle x_2}{dt^3} \cdot \frac{t_1{}^3}{6} + \cdots$$

$$\triangle x_n = \triangle x_{n-1} - \frac{d \triangle x_{n-1}}{dt} \cdot \frac{t_1}{2} + \frac{d^2 \triangle x_{n-1}}{dt^2} \cdot \frac{t_1{}^2}{2} + \frac{d^3 \triangle x_{n-1}}{dt^3} \cdot \frac{t_1{}^3}{6} + \cdots$$

Werden auf die weiter unten, bei Betrachtung der Störungen der Elemente, angegebene Art die dritten, vierten und fünften Differentialquotienten durch solche der 2. Ordnung ausgedrückt, so verwandeln sich die Gleichungen in:

$$\triangle x_1 = +\frac{t_1{}^2}{360}\left[7\frac{d^2 \triangle x_{-2}}{dt^2} - 36\frac{d^2 \triangle x_{-1}}{dt^2} + 171\frac{d^2 \triangle x_0}{dt^2} + 38\frac{d^2 \triangle x_1}{dt^2}\right]$$

$$\triangle x_2 = \triangle x_1 + \frac{d \triangle x_1}{dt} \cdot \frac{t_1}{1} + \frac{t_1{}^2}{360}\left[7\frac{d^2 \triangle x_{-1}}{dt^2} - 36\frac{d^2 \triangle x_0}{dt^2} + 171\frac{d^2 \triangle x_1}{dt^2} + 38\frac{d^2 \triangle x_2}{dt^2}\right] \quad \cdots(I),$$

$$\triangle x_n = \triangle x_{n-1} + \frac{d \triangle x_{n-1}}{dt} \cdot \frac{t_1}{1} + \frac{t_1{}^2}{360}\left[7\frac{d^2 \triangle x_{n-3}}{dt^2} - 36\frac{d^2 \triangle x_{n-2}}{dt^2} + 171\frac{d^2 \triangle x_{n-1}}{dt^2} + 38\frac{d^2 \triangle x_n}{dt^2}\right]$$

wo die Stellenzeiger $-2$ und $-1$ auf die Anfänge des 2. und 1. Zeitabschnitts vor der Oskulation hinweisen.

Israel-Holtzwart.

Entwickelt man nun ferner auch die ersten Differential-quotienten nach Potenzen der Zeit:

$$\frac{d\triangle x_1}{dt} = \frac{d^2\triangle x_0}{dt^2} \cdot \frac{t_1}{1} + \frac{d^3\triangle x_0}{dt^3} \cdot \frac{t_1{}^2}{2} + \cdots =$$

$$\frac{t_1}{24}\left(\frac{d^2\triangle x_{-2}}{dt^2} - 5\frac{d^2\triangle x_{-1}}{dt^2} + 19\frac{d^2\triangle x_0}{dt^2} + 9\frac{d^2 x_1}{dt^2}\right)$$

$$\frac{d\triangle x_2}{dt} = \frac{d\triangle x_1}{dt} + \frac{d^2\triangle x_1}{dt^2} \cdot \frac{t_1}{1} + \frac{d^3\triangle x_1}{dt^3} \cdot \frac{t_1{}^2}{2} + \cdots = \frac{d\triangle x_1}{dt}$$

$$+ \frac{t_1}{24}\left(\frac{d^2\triangle x_{-1}}{dt^2} - 5\frac{d^2\triangle x_0}{dt^2} + 19\frac{d^2\triangle x_1}{dt^2} + 9\frac{d^2\triangle x_2}{dt^2}\right) \Bigg\} \cdots (\mathrm{I}\alpha),$$

$$\frac{d\triangle x_{n-1}}{dt} = \frac{d\triangle x_{n-2}}{dt} + \frac{d^2\triangle x_{n-2}}{dt^2} \cdot \frac{t_1}{1} + \frac{d^3\triangle x_{n-3}}{dt^3} \cdot \frac{t_1{}^2}{2} + \cdots = \frac{d\triangle x_{n-2}}{dt}$$

$$+ \frac{t_1}{24}\left(\frac{d^2\triangle x_{n-4}}{dt^2} - 5\frac{d^2\triangle x_{n-3}}{dt^2} + 19\frac{d^2\triangle x_{n-2}}{dt^2} + 9\frac{d^2\triangle x_{n-1}}{dt^2}\right)$$

so bekommt man durch Addition:

$$\frac{d\triangle x_{n-1}}{dt} = \frac{t_1}{24}\Bigg[\left(\frac{d^2\triangle x_{-2}}{dt^2} + \frac{d^2\triangle x_{-1}}{dt^2} + \cdots + \frac{d^2\triangle x_{n-4}}{dt^2}\right)$$

$$- 5\left(\frac{d^2\triangle x_{-1}}{dt^2} + \frac{d^2\triangle x_0}{dt^2} + \cdots + \frac{d^2\triangle x_{n-3}}{dt^2}\right)$$

$$+ 19\left(\frac{d^2\triangle x_0}{dt^2} + \frac{d^2\triangle x_1}{dt^2} + \cdots + \frac{d^2\triangle x_{n-2}}{dt^2}\right)$$

$$+ 9\left(\frac{d^2\triangle x_1}{dt^2} + \frac{d^2\triangle x_2}{dt^2} + \cdots + \frac{d^2\triangle x_{n-1}}{dt^2}\right)\Bigg] \Bigg\} \cdots (\mathrm{I}\beta).$$

Die Substitution in die letzte der Gleichungen (I) liefert endlich:

$$\triangle x_n - \triangle x_{n-1} = + \frac{t_1{}^2}{24}\Bigg[\left(\frac{d^2\triangle x_{-2}}{dt^2} + \cdots + \frac{d^2\triangle x_{n-4}}{dt^2}\right)$$

$$- 5\left(\frac{d^2\triangle x_{-1}}{dt^2} + \cdots + \frac{d^2\triangle x_{n-3}}{dt^2}\right)$$

$$+ 19\left(\frac{d^2\triangle x_0}{dt^2} + \cdots + \frac{d^2\triangle x_{n-2}}{dt^2}\right)$$

$$+ 9\left(\frac{d^2\triangle x_1}{dt^2} + \cdots + \frac{d^2\triangle x_{n-1}}{dt^2}\right)\Bigg]$$

$$+ \frac{t_1{}^2}{360}\Bigg[7\frac{d^2\triangle x_{n-3}}{dt^2} - 36\frac{d^2\triangle x_{n-2}}{dt^2} + 171\frac{d^2\triangle x_{n-1}}{dt^2}$$

$$+ 38\frac{d^2\triangle x_n}{dt^2}\Bigg] \cdots (\mathrm{II}).$$

Hierdurch ist die im Laufe des $n$. Zeitintervalls nach der Oskulation eintretende Störung

$$\triangle x_n - \triangle x_{n-1}$$

zurückgeführt auf eine Summe von Differentialquotienten der 2. Ordnung, ist also bestimmbar, sobald die letzteren gegeben sind.

Beispielsweise hat man hierdurch für die Störung während des 3. Zeitintervalls:

$$\triangle x_3 - \triangle x_2 = \frac{t_1^2}{24} \left[ \left( \frac{d^2 \triangle x_{-2}}{dt^2} + \frac{d^2 \triangle x_{-1}}{dt^2} + \frac{d^2 \triangle x_0}{dt^2} \right) \right.$$

$$- 5 \left( \frac{d^2 \triangle x_{-1}}{dt^2} + \frac{d^2 \triangle x_0}{dt^2} + \frac{d^2 \triangle x_1}{dt^2} \right) + 19 \left( \frac{d^2 \triangle x_0}{dt^2} + \frac{d^2 \triangle x_1}{dt^2} + \frac{d^2 \triangle x_2}{dt^2} \right)$$

$$\left. + 9 \left( \frac{d^2 \triangle x_1}{dt^2} + \frac{d^2 \triangle x_2}{dt^2} + \frac{d^2 \triangle x_3}{dt^2} \right) \right]$$

$$+ \frac{t_1^2}{360} \left[ 7 \frac{d^2 \triangle x_0}{dt^2} - 36 \frac{d^2 \triangle x_1}{dt^2} + 171 \frac{d^2 \triangle x_2}{dt^2} + 38 \frac{d^2 \triangle x_3}{dt^2} \right].$$

Ähnliche Formeln ergeben sich für die beiden anderen Koordinaten.

Auch unterliegt es keinen Schwierigkeiten die Störungsformeln für andere Zeitpunkte als die Grenzen der Intervalle aufzustellen. So findet sich für die Mitte des zwischen 0 und 1 liegenden Intervalls (worunter man keineswegs gerade das der Oskulation folgende Intervall zu verstehen braucht), wenn man rückwärts interpoliert:

Die Geschwindigkeit der Störung:

$$\frac{d \triangle x_{0,5}}{dt} = \frac{d \triangle x_1}{dt} - \frac{d^2 \triangle x_1}{dt^2} \cdot \frac{t_1}{2} + \frac{d^3 \triangle x_1}{dt^3} \cdot \frac{t_1^2}{2 \cdot 2^2} - \dots$$

$$= \frac{d \triangle x_1}{dt} + \frac{t_1}{384} \left[ 7 \frac{d^2 \triangle x_{-1}}{dt^2} - 53 \frac{d^2 \triangle x_0}{dt^2} - 155 \frac{d^2 \triangle x_1}{dt^2} + 9 \frac{d^2 \triangle x_2}{dt^2} \right].$$

Die Störung selbst:

$$\triangle x_{0,5} = \triangle x_1 - \frac{d \triangle x_1}{dt} \cdot \frac{t_1}{2} + \frac{d^2 \triangle x_1}{dt^2} \cdot \frac{t_1^2}{2 \cdot 2^2} - \frac{d^3 \triangle x_1}{dt^3} \cdot \frac{t_1^3}{6 \cdot 2^3} + \dots$$

$$= \triangle x_1 - \frac{d \triangle x_1}{dt} \cdot \frac{t_1}{2} + \frac{t_1^2}{11520}$$

$$\left[ - 37 \frac{d^2 \triangle x_{-1}}{dt^2} + 261 \frac{d^2 \triangle x_0}{dt^2} + 1269 \frac{d^2 \triangle x_1}{dt^2} - 53 \frac{d^2 \triangle x_2}{dt^2} \right].$$

## Entwickelung der Differentialquotienten 2. Ordnung.

Wir müssen nun die Quotienten 2. Ordnnng, aus denen sämtliche Störungen herzuleiten sind, näher betrachten. Wie bekannt, ist die den gestörten Planeten angreifende Gesamtkraft

$$\frac{d^2 x}{dt^2} = - \frac{k^2_{(1+m)} x}{r^3} - \frac{k^2 m^1 x^1}{r^{1\,3}} + \frac{k^2 m^1 (x^1 - x)}{\varrho^3}.$$

Durch Subtraktion des elliptischen Betrags

$$\frac{d^2 \xi}{dt^2} = - \frac{k^2_{(1+m)} \xi}{r\varepsilon^3}$$

ergiebt sich die störende Kraft

$$\frac{d^2 \triangle x}{dt^2} = - k^{\,\prime}{}_{(1+m)} \left( \frac{x}{r^3} - \frac{\xi}{r\varepsilon^3} \right) - \frac{k^2 m^1 x^1}{r^{1\,3}} + \frac{k^2 m^1 (x^1 - x)}{\varrho^3}.$$

Wird

$$x = \xi + \triangle x$$
$$r = r_\varepsilon + \triangle r$$
$$(r_\varepsilon + \triangle r)^2 = (\xi + \triangle x)^2 + (\eta + \triangle y)^2 + (\zeta + \triangle z)^2$$

gesetzt und läfst man die höheren Potenzen der Störungen vorläufig aufser acht (was wegen des Faktors $k^2$ auf eine Vernachlässigung von Gröfsen 6. Ordnung ·hinausläuft), so folgt

$$\frac{x}{r^3} - \frac{\xi}{r_\varepsilon{}^3} = (r_\varepsilon{}^2 - 3\xi^2)\triangle x - 3\xi\eta \cdot \triangle y - 3\xi\zeta \cdot \triangle z$$

und damit der Ausdruck der störenden Kraft in der Richtung der $x$-Achse

$$\frac{d^2 \triangle x}{dt^2} = - \frac{k^2_{(1+m)}}{r_\varepsilon{}^5} [(r_\varepsilon{}^2 - 3\xi^2)\triangle x - 3\xi\eta \cdot \triangle y - 3\xi\zeta \cdot \triangle z]$$
$$- \frac{k^2 m_1 x^1}{r^{13}} + \frac{k^2 m^1 (x^1 - x)}{\varrho^3}$$

und analog in der Richtung der beiden anderen Achsen:

$$\left. \begin{array}{l} \dfrac{d^2 \triangle y}{dt^2} = - \dfrac{k^2_{(1+m)}}{r_\varepsilon{}^5} [(r_\varepsilon{}^2 - 3\eta^2)\triangle y - 3\eta\xi \cdot \triangle x - 3\eta\zeta \cdot \triangle z] \\[2mm] \qquad - \dfrac{k^2 m^1 y^1}{r^{13}} + \dfrac{k^2 m^1 (y^1 - y)}{\varrho^3} \\[4mm] \dfrac{d^2 \triangle z}{dt^2} = - \dfrac{k^2_{(1+m)}}{r_\varepsilon{}^5} [(r_\varepsilon{}^2 - 3\zeta^2)\triangle z - 3\zeta\xi \cdot \triangle x - 3\zeta\eta \cdot \triangle y] \\[2mm] \qquad - \dfrac{k^2 m^1 z^1}{r^{13}} + \dfrac{k^2 m^1 (z^1 - z)}{\varrho^3} \end{array} \right\} \cdots (III).$$

Man ersieht hieraus, daſs die störenden Kräfte der Koordinaten bereits von den Störungen der Koordinaten selbst abhängig sind. Doch können letztere wegen des kleinen Faktors $k^2 = 0{,}0003$ in erster Annäherung unberücksichtigt bleiben.

Bei Aufstellung der Gleichungen (I) und (Iα) wurde vorausgesetzt, daſs

$$\triangle x_1 \text{ und } \frac{d\triangle x_1}{dt}$$

sich unmittelbar an die Oskulation anschlösse. Ist dies nicht der Fall, besteht bereits die Störung $\triangle x_0$ und die Geschwindigkeit $\frac{d\triangle x_0}{dt}$, so ist der Wert von $\triangle x_1$ durch $\triangle x_0 + \frac{d\triangle x_0}{dt} \cdot \frac{t^1}{1}$, der von $\frac{d\triangle x_1}{dt}$ durch $\frac{d\triangle x_0}{dt}$ und folgeweise der Wert von $\triangle x_n' - \triangle x_{n-1}$ in Gleichung (II) durch $\frac{d\triangle x_0}{dt} \cdot \frac{t_1}{1}$ zu ergänzen.

## Berechnung der Störungen.

### *Erste Annäherung.*

Bezeichnet man Kürze halber die in den Gleichungen (III) vorkommenden Gröſsen

$$\frac{1}{r_\varepsilon^{5}} [(r_\varepsilon^{2} - 3\xi^2) \cdot \triangle x \cdots \cdots ] \text{ durch } S^x$$

$$\frac{x^1 - x}{\varrho^3} - \frac{x^1}{r_1^{3}} \text{ durch } Q^x$$

$$\frac{1}{r_\varepsilon^{5}} [r_\varepsilon^{2} - 3\eta^2) \cdot \triangle y \cdots \cdots ] \text{ durch } S^y$$

u. s. f.,

so hat man:

$$\left.\begin{array}{l}
\dfrac{d^2 \triangle x}{dt^2} = -k^2{}_{(1+m)}S^x + k^2 m^1 Q^x \\[2mm]
\dfrac{d^2 \triangle y}{dt^2} = -k^2{}_{(1+m)} S^y + k^2 m^1 Q^y \\[2mm]
\dfrac{d^2 \triangle z}{dt^2} = k^2{}_{(1+m)} S^z + k^2 m^1 Q^z
\end{array}\right\} \quad \cdots \cdots (\text{III}\alpha).$$

Durch

$$S_{-2}^x, \ S_{-1}^x, \ S_0^x, \ S_1^x \ \ldots \ldots$$

$$Q_{-2}^x, \ Q_{-1}^x, \ Q_0^x \ \ldots \ldots$$

$$S_{-2}^y, \ S_{-1}^y \ \ldots \ldots$$

u. s. f.

werden alsdann die zu den verschiedenen Zeiten stattfindenden Werte dieser Gröfsen angedeutet, und zwar für gewöhnlich durch $S_{-2}$ der um 2 Intervalle v o r der Oskulation bestehende Wert u. s. f.

Mit diesen Abkürzungen erscheint die Gleichung (II) in der Form:

$$\triangle x_n - \triangle x_{n-1} = \left\{ \frac{k^2 m^1 t_1^2}{24} \left[ \sum_{-2}^{n-4} Q^x - 5 \sum_{-1}^{n-3} Q^x + 19 \sum_{0}^{n-2} Q^x + 9 \sum_{1}^{n-1} Q^x \right] \right.$$

$$\left. + \frac{k^2 m^1 t_1^2}{360} \left[ 7 Q_{n-3}^x - 36 Q_{n-2}^x + 171 Q_{n-1}^x + 38 Q_n^x \right] \right\}^{\mathrm{I}}$$

$$- \left\{ \frac{k^2 (1+m) t_1^2}{24} \left[ \sum_{-2}^{n-4} S^x - 5 \sum_{-1}^{n-3} S^x + 19 \sum_{0}^{n-2} S^x + 9 \sum_{1}^{n-1} S^x \right] \right.$$

$$\left. + \frac{k^2 (1+m) t_1^2}{360} \left[ 7 S_{n-3}^x - 36 S_{n-2}^x + 171 S_{n-1}^x + 38 S_n^x \right] \right\}^{\mathrm{II}},$$

wo das Summenzeichen $\Sigma$ die in der Mathematik allgemein übliche Bedeutung hat.

Betrachtet man die Störungen

$$\triangle x, \ \triangle y, \ \triangle z,$$

wegen des Faktors $k^2$ als Gröfsen 2. Ordnung, so gehören auch die $S$ derselben Ordnung an und der Klammerausdruck

$$\left\{ \ldots \ldots \right\}^{\mathrm{II}}$$

ist von der 4. Ordnung. Daraus folgt aber, dafs:

1. in e r s t e r Annäherung dieser Klammerausdruck unberücksichtigt bleiben kann,
2. man nur einen Fehler der 6. Ordnung begeht, wenn man in z w e i t e r Annäherung die Gröfsen $S$ mit Hilfe der ersten Näherungswerte von $\triangle x$, $\triangle y$, $\triangle z$ bestimmt werden.

Hiernach gestaltet sich das e r s t e Näherungsverfahren folgendermafsen:

Man bestimme die Gröfsen

$$Q_{-2}, \; Q_{-1}, \; Q_0, \; Q_1 \; \ldots \; Q_n$$

und berechne damit für die aufeinanderfolgenden Intervalle den Klammerausdruck

$$\left\{ \ldots \ldots \right\}^{\mathrm{I}},$$

dessen Werte alsdann die während der einzelnen Zeitabschnitte eintretenden Störungen der Koordinaten darstellen.

## Zweite Annäherung.

Um nun zur zweiten Annäherung zu gelangen, sind zunächst mit den oskulierenden Elementen die elliptischen Gröfsen

$$(r_\varepsilon{}^2 - 3\xi^2) : r_\varepsilon{}^5$$
$$3\xi \cdot \eta : r_\varepsilon{}^5 \quad \text{u. s. f.}$$

(deren Bestandteile schon aus der vorigen Rechnung fertig vorliegen) für die einzelnen Zeitpunkte zu bestimmen, hierauf mit Anwendung der gefundenen Näherungswerte von

$$\triangle x, \; \triangle y, \; \triangle z$$

die Ausdrücke

$$S_{-2}^x, \; S_{-1}^x, \; S_0, \; S_1 \; \ldots \; S_n$$

und aus diesen die Werte des Klammerausdrucks

$$\left\{ \ldots \ldots \right\}^{\mathrm{II}}$$

für die verschiedenen Zeiten zu berechnen. Die Störung während des $n$-Zeitabschnitts ist alsdann

$$\triangle x_n - \triangle x_{n-1} = \left\{ \ldots \ldots \right\}^{\mathrm{I}} - \left\{ \ldots \ldots \right\}^{\mathrm{II}}$$

und zwar, entsprechend der Genauigkeit der Integration, bis zu den Gröfsen 5. Ordnung einschl. genau.

Wird — etwa infolge zu umfangreicher Zeitintervalle — eine noch gröfsere Genauigkeit begehrt, so mufs man sowohl das allgemeine, in der Gleichung (II) ausgesprochenen Integrationsverfahren durch Zuziehung der Gröfsen 6. Ordnung (vergl. nachher Störungsrechnung der Elemente) ändern, als auch die in den Ausdrücken der $S$ bisher vernachlässigten Quadrate der Störungen berücksichtigen, überhaupt aber in einer wiederholten Rechnung alle bis dahin unbeachtet gebliebenen Gröfsen 6. Ordnung heranziehen.

## Rechnungsbeispiel.

### Störungen der Asia durch Jupiter.

Man hat nach Frischauf (Grundr. d. theor. Astr., S. 93):

Masse der Asia: $m = 0$

„    Jupiters: $m^1 \doteq 1 : 1047{,}88$

Oskulationszeit: 1868, Januar 22

Länge der einzelnen Zeitintervalle: $t_1 = 20$ Tagen.

### Ungestörte Koordinaten der Asia.

| 1868 | $x$ | $y$ | $z$ | $\log r$ | $\log \varrho$ |
|---|---|---|---|---|---|
| Jan. 12 | − 2,5620 | + 1,0545 | − 0,2063 | 0,4438 | 0,8883 |
| Febr. 1 | 2,6077 | 0,8693 | 0,1902 | 0,4402 | 0,8873 |
| „ 21 | 2,6387 | 0,6791 | 0,1731 | 0,4362 | 0,8860 |
| März 12 | 2,6543 | 0,4850 | 0,1549 | 0,4318 | 0,8845 |

### Für dieselben Zeiten Koordinaten Jupiters:

| $x'$ | $y'$ | $z'$ | $-20^2.k^2m'x' : r^{13}$ | $-20^2 k^2 m'y' : r^{13}$ | $-20^2 k^2 m'z' : r^{13}$ |
|---|---|---|---|---|---|
| + 4,8100 | − 1,2759 | − 0,1041 | − 44,06 | + 11,69 | + 0,95 |
| 4,8448 | 1,1222 | 0,1054 | 44,44 | 10,30 | 0,97 |
| 4,8748 | 0,9673 | 0,1067 | 44,83 | 8,89 | 0,98 |
| 4,9001 | 0,8116 | 0,1078 | 45,14 | 7,48 | 0,99 |

Die Zahlenwerte der drei letzten Kolumnen sind in Einheiten der 7. Dezimale ausgedrückt, also ist beispielsweise

$$-44{,}06 \text{ statt } -0{,}000004406 \text{ gesetzt.}$$

### Erste Näherung.

#### Berechnung der Werte von $Q$.

Aus

$$Q^x = \frac{x^1 - x}{\varrho^3} - \frac{x^1}{r^{14}}, \quad Q^y = \frac{y^1 - y}{\varrho^3} - \frac{y^1}{r^{13}}, \quad Q^z = \frac{z^1 - z}{\varrho^3} - \frac{z^1}{r^{13}}$$

folgt, wenn man gleich mit $t_1{}^2 k^2 m^1$ multipliziert, in Einheiten der 7. Dezimale

| 1868 | $Q^x$ | $Q^y$ | $Q^z$ |
|---|---|---|---|
| Jan. 12 | −26,05 | +6,00 | +1,20 |
| Febr. 1 | −26,10 | 5,40 | 1,18 |
| „ 21 | −26,18 | 4,80 | 1,14 |
| März 12 | −26,19 | 4,23 | 1,11 |

Da die Koordinaten der beiden Planeten nicht für das Oskulationsmoment (22. Januar) und die von da ab gerechneten (je um 20 Tage auseinanderliegenden) Zeitpunkte, sondern für die Mitten dieser Intervalle gegeben sind, so müssen wir die Rechnung mit einem kleinen Umwege beginnen — der also wegfällt, wenn die Koordinaten, entsprechend den oben entwickelten Vorschriften, von vornherein mit der Oskulation anfangen.

Auch ist die Rechnung, in Ermangelung ausreichenden Zahlenmaterials, nur mit einer geringern, jedoch die Gröfsen 4. Ordnung noch mit einschliefsenden Genauigkeit durchführbar und demgemäfs auf folgende Formeln zu stützen:

$$\left.\begin{aligned}
\triangle x_2 &= \triangle x_1 + \frac{d\triangle x_1}{dt} \cdot \frac{t_1}{1} - \left[\frac{d^2\triangle x_0}{dt^2} - 10\frac{d^2\triangle x_1}{dt^2} \right. \\
&\qquad\qquad\qquad \left. - 3\frac{d^2\triangle x_1}{dt^2}\right] \cdot \frac{t_1{}^2}{24} \\
\frac{d\triangle x_2}{dt} &= \frac{d\triangle x_1}{dt} - \frac{t_1}{8}\left[\frac{d^2\triangle x_0}{dt^2} - 6\frac{d^2\triangle x_1}{dt^2} - 6\frac{d^2\triangle x_2}{dt^2}\right]
\end{aligned}\right\} \dots (9).$$

Um zunächst die Störungen und ihre Geschwindigkeiten für

den 1. Februar

zu bestimmen, was aus dem angegebenen Grunde auf besonderem Wege zu geschehen hat, bedienen wir uns der Gleichungen:

$$\frac{d\triangle x_{0,5}}{dt} = \frac{d\triangle x_1}{dt} - \frac{t_1}{24}\left[2\frac{d^2\triangle x_0}{dt^2} + 11\frac{d^2\triangle x_1}{dt^2} - \frac{d^2\triangle x_2}{dt^2}\right]$$

$$x_{0,5} = \triangle x_1 - \frac{d\triangle x_1}{dt} \cdot \frac{t_1}{2} + \left[5\frac{d^2\triangle x_0}{dt^2} + 46\frac{d^2\triangle x_1}{dt^2} - 3\frac{d^2\triangle x_2}{dt^2}\right] \cdot \frac{t_1{}^2}{384}.$$

Bezieht sich in diesen (allgemeinen) Gleichungen der Index 1 auf den 1. Februar, so geht der Index 0,5 auf den Oskulationszeitpunkt zurück. Da nun

$$\frac{d\Delta x_{0,5}}{dt} = 0$$

$$\Delta x_{0,5} = 0,$$

so ergiebt sich, wenn man für $\dfrac{d^2\Delta x}{dt^2}$ hier seinen Näherungswert $Q^x$ setzt; wobei man sich jedoch zu erinnern hat, daß in der obigen Tabelle die $Q$ bereits mit $t_1{}^2 = 400$ multipliziert sind:

$$\frac{d\Delta x_1}{dt} = \frac{1}{480}(-2\cdot 26{,}05 - 11\cdot 26{,}10 + 26{,}18) = -0{,}65$$

$$\Delta x_1 = -10\cdot 0{,}65 - \frac{1}{384}(-5\cdot 26{,}05 - 46\cdot 26{,}10 + 3\cdot 26{,}18) = -3{,}2$$

(Störung am 1. Februar).

Damit folgt aus den Gleichungen (9):

$$\frac{d\Delta x_2}{dt} = -0{,}65 - \frac{1}{160}(-26{,}05 + 6\cdot 26{,}10 + 3\cdot 26{,}18) = -2$$

$$\Delta x_2 = -3{,}2 - 13 - \frac{1}{42}(-26{,}05 + 10\cdot 26{,}10 + 3\cdot 26{,}18) = -29{,}3$$

(Störung am 21. Februar),

ferner aus denselben Gleichungen:

$$\Delta x_3 = -29{,}3 - 40 - \frac{1}{24}(-26{,}10 + 10\cdot 26{,}18 + 3\cdot 26{,}19) = -82{,}4$$

(Störung am 12. März).

Mit Hilfe der korrespondierenden Gleichungen für die 2. und 3. Koordinate findet man ebenso aus den $Q^y$ und $Q^z$:

$$\frac{d\Delta y_1}{dt} = 0{,}14$$

$$\Delta y_1 = +0{,}7 \text{ (Störung am 1. Februar)}$$

$$\Delta y_2 = +6{,}1 \text{ (Störung am 21. Februar)}$$

$$\frac{d\Delta z_1}{dt} = +0{,}03$$

$$\Delta z_1 = +0{,}15 \text{ (Störung am 1. Februar)}$$

$$\Delta z_2 = +1{,}3 \text{ (Störung am 21. Februar)}.$$

Eine Vergleichung dieser Werte mit den Ergebnissen von Frischauf

$$\Delta x_1 = -3{,}3(-3{,}2); \quad \Delta y_1 = +0{,}8(0{,}7); \quad \Delta z_1 = +0{,}2(0{,}15)$$

$$\Delta x_1 = -29{,}4(-29{,}3); \quad \Delta y_2{}' = +6{,}1(6{,}1); \quad \Delta z_2 = +1{,}3(1{,}3)$$

$$\Delta x_3 = -82{,}2(-82{,}4)$$

zeigt in sofern völlige Übereinstimmung, als die kleinen Verschiedenheiten in den Dezimalen auf die verschiedene Art der Abrundung dieser Dezimalen zurückzuführen sind.

Um nunmehr zur

*zweiten Annäherung*

überzugehen, müfsten die Werte von

$$S^x, \ S^y, \ S^z$$

bestimmt werden. Dieselben sind jedoch an dieser Stelle noch so geringfügig, dafs man von ihnen absehen kann und bei Berücksichtigung nur einer Dezimale in den Störungswerten auch absehen mufs. So ist beispielsweise der gröfste Wert der $S$, nämlich

$$S_3{}^x = cc - 0{,}002,$$

was man mit Anwendung der dem 12. März entsprechenden Werte:

$$r^2 = 7{,}3047; \ \ r^5 = 144{,}21; \ \ x^2 = 7{,}0454; \ \ y^2 = 0{,}2352; \ \ z^2 = 0{,}0240$$
$$yx = -1{,}2873; \ \ yz = -0{,}0751; \ \ xz = +0{,}4111$$

leicht findet, wo zur Bequemlichkeit die lateinischen statt der griechischen, auf die oskulierende Ellipse sich beziehende Buchstaben genommen sind.

Das Vorstehende wird hinreichen, von diesen Rechnungen eine klare Vorstellung zu geben. Wendet man, wie es hier geschehen, die Reihen nur zur Berechnung der Störungen (nicht der gestörten Koordinaten selbst) an, so dürften die Resultate, selbst bei noch gröfseren Zwischenzeiten, stets befriedigend ausfallen, insbesondere wenn auch die höheren Differentialquotienten der Störungen zu Hilfe genommen werden.

## Störungen der Elemente.

Erheblich einfacher gestaltet sich das Verfahren in seiner Anwendung auf die Störung der **Elemente**, da hier das allmälige Anwachsen der Störungen einflufslos bleibt.

Es sei $q$ irgend eins dieser gestörten Elemente, so kann man entwickeln:

$$q = q_0 + \frac{dq_0}{dt} \cdot \frac{t}{1} + \frac{d^2q_0}{dt^2} \cdot \frac{t_1{}^2}{2} + \frac{d^3q_0}{dt^3} \cdot \frac{t_1{}^3}{6} + \cdots \cdots,$$

wo der Index Null sich wiederum auf den Anfang der Zeit $t$ bezieht. In diesem Falle stellt $q_0$ den vollen elliptischen Anteil von $q$ dar, während alle folgenden Glieder ausschließlich der störenden Kraft ihr Dasein verdanken.

Führt man nach der früher gegebenen Vorschrift den zweiten und dritten Differentialquotienten von $q_0$ auf den ersten zurück und nennt, wie bisher, das Zeitintervall $t_1$, so ergiebt sich:

$$q_1 = q_0 + \frac{dq_0}{dt} \cdot \frac{t_1}{1} + \frac{t_1{}^2}{2} \cdot \frac{1}{2t_1} \left[ \frac{dq_1}{dt} - \frac{dq_{-1}}{dt} \right]$$
$$+ \frac{t_1{}^3}{6} \cdot \frac{1}{t_1{}^2} \left[ \frac{dq_1}{dt} + \frac{dq_{-1}}{dt} - 2\frac{dq_0}{dt} \right],$$

wenn $\dfrac{dq_{-1}}{dt}$ dem Intervalle vor der Oskulation entspricht. Durch Zusammenziehung kommt:

$$q_1 = q_0 + \frac{t_1}{12} \left[ 8\frac{dq_0}{dt} - \frac{dq_{-1}}{dt} + 5\frac{dq_1}{dt} \right]$$

oder allgemein:

$$q_n = q_{n-1} + \frac{t_1}{12} \left[ 8\frac{dq_{n-1}}{dt} - \frac{dq_{n-2}}{dt} + 5\frac{dq_n}{dt} \right].$$

Diese Gleichung liefert das gestörte Element $q_n$ am Schlusse des $n$-ten Intervalls nach der Oskulation aus dem gestörten Werte desselben Elements am Schlusse des $(n-1)$-ten Intervalls. Um

$$q_n \text{ direkt aus } q_0$$

zu erhalten, hat man nur $q_{n-1}$ durch $q_{n-2}$, $q_{n-2}$ durch $q_{n-3}$ u. s. f. auszudrücken und in die letzte Gleichung zu substituieren. Es wird dann gefunden:

$$q_n = q_0 + \frac{t_1}{12} \left[ 8 \left( \frac{dq_0}{dt} + \frac{dq_1}{dt} + \cdots + \frac{dq_{n-1}}{dt} \right) \right.$$
$$- \left( \frac{dq_{-1}}{dt} + \frac{dq_0}{dt} + \frac{dq_1}{dt} + \cdots + \frac{dq_{n-2}}{dt} \right)$$
$$\left. + 5 \left( \frac{dq_1}{dt} + \frac{dq_2}{dt} + \cdots + \frac{dq_n}{dt} \right) \right] \cdots (A),$$

also beispielsweise

$$q_4 = q_0 + \frac{t_1}{12} \left[ 8 \left( \frac{dq_0}{dt} + \frac{dq_1}{dt} + \frac{dq_2}{dt} + \frac{dq_3}{dt} \right) \right.$$
$$\left. - \left( \frac{dq_{-1}}{dt} + \frac{dq_0}{dt} + \frac{dq_1}{dt} + \frac{dq_2}{dt} \right) + 5 \left( \frac{dq_1}{dt} + \frac{dq_2}{dt} + \frac{dq_3}{dt} + \frac{dq_4}{dt} \right) \right].$$

In Gleichung ($A$) wird uns ein ganz allgemeines Verfahren geboten, um

## die Störung irgend eines Elementes $q$

aus den verschiedenzeitigen Geschwindigkeiten dieser Störung zu entwickeln, selbstredend in Verbindung mit den Werten $q_0$ des Elements zur Zeit der Oskulation.

Man würde hiernach, wenn es sich etwa um die Störung der Flächengeschwindigkeit in der $X$—$Y$-Ebene handelte, nur

$$\frac{dq}{dt} = -k^2 m_1 (xy_1 - yx_1)\left(\frac{1}{r_1{}^3} - \frac{1}{\varrho^3}\right)$$

zu setzen, sodann für die Zeiten

$$t_{-1},\ t_0,\ t_1,\ t_2 \ldots.$$

diesen Ausdruck zu berechnen und die erhaltenen Werte in die Gleichung ($A$) einzuführen haben. An Einfachheit läfst das durch ($A$) angedeutete Verfahren gewifs nichts zu wünschen übrig; aber auch an Genauigkeit dürfte es wohl den zu stellenden Anforderungen meist genügen.

Übrigens hindert Nichts, dem Verfahren jeden beliebigen Grad von Strenge zu verschaffen. Man mufs in diesem Falle nur mehr als drei aufeinanderfolgende Geschwindigkeiten heranziehen. Will man z. B. auch noch die Gröfsen fünfter Ordnung in Betracht ziehen, so setze man:

$$\frac{dq_0}{dt} = \frac{dq_2}{dt} - \frac{d^2 q_2}{dt^2}\cdot\frac{2t_1}{1} + \frac{d^3 q_2}{dt^3}\cdot\frac{2^2 t_1{}^2}{2!} - \frac{d^4 q^2}{dt^4}\cdot\frac{2^3 t_1{}^3}{3!} + \cdots$$

$$\frac{dq_1}{dt} = \frac{dq_2}{dt} - \frac{d^2 q_2}{dt^2}\cdot\frac{t_1}{1} + \frac{d^3 q_2}{dt^3}\cdot\frac{t_1{}^2}{2!} - \frac{d^4 q^2}{dt^4}\cdot\frac{t_1{}^3}{3!} + \cdots$$

$$\frac{dq_3}{dt} = \frac{dq_2}{dt} + \frac{d^2 q_2}{dt^2}\cdot\frac{t_1}{1} + \frac{d^3 q_2}{dt^3}\cdot\frac{t_1{}^2}{2!} + \frac{d^4 q_2}{dt^4}\cdot\frac{t_1{}^3}{3!} + \cdots$$

Durch Elimination von je zwei der höheren Differentialquotienten erhält man sodann:

$$\left.\begin{aligned}
\frac{d^2 q_2}{dt^2} &= \frac{1}{6t_1}\left[\frac{dq_0}{dt} - 6\frac{dq_1}{dt} + 3\frac{dq_2}{dt} + 2\frac{dq_3}{dt}\right]\\[4pt]
\frac{d^3 q_2}{dt^3} &= \frac{1}{t_1{}^2}\left[\frac{dq_1}{dt} - 2\frac{dq_2}{dt} + 3\frac{dq_3}{dt}\right]\\[4pt]
\frac{d^4 q_2}{dt^4} &= -\frac{1}{t_1{}^3}\left[\frac{dq_0}{dt} - 3\frac{dq_1}{dt} + 3\frac{dq_2}{dt} - \frac{dq_3}{dt}\right]
\end{aligned}\right\} \cdots (b).$$

Werden diese Werte in die Reihe

$$q_3 = q_2 + \frac{dq_2}{dt} \cdot \frac{t_1}{1} + \frac{d^2q_2}{dt^2} \cdot \frac{t_1{}^2}{2!} + \frac{d^3q_2}{dt^3} \cdot \frac{t_1{}^3}{3!} + \frac{d^4q_2}{dt^4} \cdot \frac{t_1{}^4}{4!} + \cdots$$

eingeführt, so ergiebt sich:

$$q_3 = q_2 + \frac{t_1}{24}\left[\frac{dq_0}{dt} - 5\frac{dq_1}{dt} + 19\frac{dq_2}{dt} + 9\frac{dq_3}{dt}\right] \cdots$$

oder allgemein:

$$q_n = q_{n-1} + \frac{t_1}{24}\left[\frac{dq_{n-3}}{dt} - 5\frac{dq_{n-2}}{dt} + 19\frac{dq_{n-1}}{dt} + 9\frac{dq_n}{dt}\right] \cdots (B_0).$$

Bezeichnet $q_0$ wiederum den Zustand des gestörten Elements im Momente der Oskulation, so findet man hiernach dessen Wert am Ende des $n$-ten Zeitintervalls:

$$q_n = q_0 + \frac{t_1}{24}\left[\left(\frac{dq_{-2}}{dt} + \frac{dq_{-1}}{dt} + \frac{dq_0}{dt} + \cdots \frac{dq_{n-3}}{dt}\right)\right.$$

$$- 5\left(\frac{dq_{-1}}{dt} + \frac{dq_0}{dt} + \cdots + \frac{dq_{n-2}}{dt}\right) + 19\left(\frac{dq_0}{dt} + \frac{dq_1}{dt} + \cdots + \frac{dq_{n-1}}{dt}\right)$$

$$\left. + 9\left(\frac{dq_1}{dt} + \frac{dq_2}{dt} + \cdots + \frac{dq_n}{dt}\right)\right],$$

oder, bei Anwendung des bekannten Summenzeichens:

$$q_n = q_0$$

$$+ \frac{t_1}{24}\left\{\sum_{r=-2}^{r=n-3}\frac{dq_r}{dt} - 5\sum_{r=-1}^{r=n-2}\frac{dq_r}{dt} + 19\sum_{r=0}^{r=n-1}\frac{dq_r}{dt} + 9\sum_{r=1}^{r=n}\frac{dq_r}{dt}\right\} \cdots (B),$$

eine Gleichung, welche den Wert des Integrals um den Betrag einer Größenordnung genauer liefert als $(A)$.

Bei Berücksichtigung der Größen sechster Ordnung bedarf es noch eines weiteren Differentialquotienten $\frac{dq_4}{dt}$. Das nämliche Verfahren führt dann auf die Gleichung:

$$q_n = q_0 + \frac{t_1}{720}\left\{11\sum_{r=-2}^{r=n-2}\frac{dq_r}{dt} - 74\sum_{r=-1}^{r=n-2}\frac{dq_r}{dt} + 456\sum_{r=0}^{r=n-1}\frac{dq_r}{dt}\right.$$

$$\left. + 346\sum_{r=1}^{r=n}\frac{dq_r}{dt} - 19\sum_{r=2}^{r=n+1}\frac{dq_r}{dt}\right\} \cdots (C).$$

Es ist einleuchtend, wie man auf diese Art weiter gehen kann, was jedoch nur in solchen Fällen sich als notwendig erweisen dürfte, in welchen das gewählte Zeitintervall $t_1$ eine ungewöhnliche Gröfse besitzt. · Auch in den mustergiltigen Rechnungen Enckes beschränkt sich die mechanische Quadratur auf eine Berücksichtigung der vierten Differenzen der Störungsgeschwindigkeiten, also auf eine Genauigkeit, welche unserer Gleichung $(B)$ entspricht, in welcher gleichfalls noch $\dfrac{d^4 q}{dt^4}$ in Rechnung gebracht ist.

Was die Koefizienten der Gleichungen $(A)$, $(B)$ und $(C)$ betrifft, so finden, wie leicht erklärlich ist, die Beziehungen statt:

$$\left.\begin{array}{l} 8-1+5=12 \\ 1-5+19+9=24 \\ 11-74+456+346-19=720 \end{array}\right\} = \text{den Nennern zu } t_1.$$

Sollen die Störungen für andere Zeiten als gerade die Endpunkte der Intervalle bestimmt werden, so lassen sich die erforderlichen Rechnungsvorschriften ganz auf demselben Wege herleiten.

Für die **Mitten** der Zeitabschnitte erhält man z. B., wenn man vom Schlufspunkte des betreffenden Abschnitts **rückwärts** geht (man könnte ebenso gut auch vom Anfangspunkte aus sich **vorwärts** bewegen) und die der Gleichung $(C)$ zukommende Genauigkeit anwenden will:

$$q_{1\frac{1}{2}} = q_2 + \frac{t_1}{7680}\left[83\,\frac{dq_0}{dt} - 832\,\frac{dq_1}{dt} - 3442\,\frac{dq_2}{dt} + 408\,\frac{dq_3}{dt} - 57\,\frac{dq_4}{dt}\right] \cdots (D)$$

Für einen **beliebigen Zeitpunkt** innerhalb eines Intervalls folgt, wenn man diesmal vom Anfangspunkte ausgeht, ferner mit $\Theta_1$ die seit letzterem verflossene Zeit bezeichnet, aufserdem die Gleichung $(B)$ zu Grunde gelegt wird:

$$q_{2+\Theta_1} = q_2 + \frac{dq_2}{dt}\cdot\frac{\Theta_1}{1} + \frac{d^2 q_2}{dt^2}\cdot\frac{\Theta_1{}^2}{2} + \frac{d^3 q_2}{dt^3}\cdot\frac{\Theta_1{}^3}{6} + \frac{d^4 q_2}{dt^4}\cdot\frac{\Theta_1{}^4}{24},$$

wo $\dfrac{d^2 q_2}{dt^2}$, u. s. f. vermöge der Gleichungen $(b)$ zu ersetzen sind.

Die Ausführung **mehrfacher** Integrale erfolgt nur durch eine wiederholte Anwendung der vorstehenden Regeln. So wird das in der Störung der mittleren Bewegung (vergl. S. 48) auftretende Integral

$$\int dt \int \frac{dn}{dt} \cdot dt$$

gefunden, indem man aus den gegebenen Geschwindigkeiten

$$\frac{dn}{dt}$$

mit Hilfe der Gleichung $(B)$ zunächst für die einzelnen Zeitpunkte das Integral

$$\int \frac{dn}{dt} \cdot dt$$

herstellt, sodann diese Integrale als neue Geschwindigkeiten $\frac{dq}{dt}$
auffaßt, also

$$\int dt \int \frac{dn}{dt} dt = \int \frac{dq}{dt} \cdot dt$$

setzt und mit diesen $\frac{dq}{dt}$ ebenso verfährt wie zuvor mit den $\frac{dn}{dt}$.

## Rechnungsbeispiel.

*Die Störungen des Perihels der Vesta durch Jupiter.*

Nach Encke (vergl. Berl. Jahrb. f. 1837, S. 270) hat man
(Zeit der Oskulation: Januar 0,1810).

| $0^h$ Par. Zt. | | $42\frac{dq}{dt}$ | $0^h$ Par. Zt. | | $42\frac{dq}{dt}$ |
|---|---|---|---|---|---|
| 1809, | IX, 17 | 30",550 | 1810, VIII, 19 | | 93",259 |
| | X, 29 | 56,829 | | IX, 30 | 85,839 |
| | XII, 10 | 76,602 | | XI, 11 | 77,461 |
| 1810. | I, 21 | 90,348 | | XII, 23 | 68,876 |
| | III, 4 | 98,589 | 1811, | II, 3 | 60,822 |
| | IV, 15 | 102,308 | | III, 17 | 54,004 |
| | V, 27 | 102,193 | | IV, 28 | 48,982 |
| | VII, 8 | 98,947 | | | |

Die Intervalle umfassen hier 42 Tage, also

$$t_1 = 42$$

und mit dieser Zahl sind bereits sämtliche Werte der Geschwindigkeit $\frac{dq}{dt}$ der Perihelstörung multipliziert.

Da die Oskulation in die Mitte eines Intervalls fällt — wie es von dem Enckeschen Verfahren verlangt wird — nämlich

zwischen XII, 10 und I, 21

liegt, so wollen wir zunächst mit Hilfe unserer Gleichung $(D)$ die Störung

von 1810 Jan. 0 bis Jan. 21

berechnen, indem wir von letzterem Zeitpunkte an **rückwärts** gehen. Man erhält:

$$q_{-\frac{1}{2}} = q_0 + \frac{t_1}{7680}\left[83\frac{dq_{-2}}{dt} - 832\frac{dq_{-1}}{dt} - 3442\frac{dq_0}{dt} + 408\cdot\frac{dq_1}{dt} - 57\frac{dq_2}{dt}\right],$$

wo der Index 0 dem 21. Januar entspricht

Durch Einführung der tabellarischen Werte folgt:

$$q_{-\frac{1}{2}} = q_0 + \frac{1}{7680}[83\cdot56{,}829 - 832\cdot76{,}602 - 3442\cdot90{,}348 + 408\cdot98{,}589$$
$$-57\cdot102{,}308] = q_0 - 43''{,}698.$$

Weil $q_{-\frac{1}{2}}$ in die Oskulation fällt, so stellt offenbar

$$q_0 - q_{-\frac{1}{2}} = 43''{,}698$$

die gesuchte bis **zum 21. Januar** eingetretene Störung dar.

Wir mußten diese Rechnung vorausschicken, um vor Allem einen festen Punkt zu erhalten, an welchen unsere Gleichungen $(A)$, $(B)$ oder $(C)$ unmittelbar angeschlossen werden können Denn diese Gleichungen beziehen sich auf die Geschwindigkeitswerte, welche am Anfange oder Ende eines Intervalls stattfinden während in der Enckeschen Tabelle die Werte für die Mitten der Intervalle gegeben sind.

Um nun zweitens die Störung

vom 21. Januar 1810 bis 3. Februar 1811

zu bestimmen, können wir uns einer der drei Gleichungen $(A)$, $(B)$ oder $(C)$ bedienen. Wir wählen die letztere und erhalten zuerst, wenn man berücksichtigt, daß jetzt

$$\frac{dq_0}{dt} \text{ dem 21. Januar 1810}$$

$$\frac{dq_n}{dt} \text{ dem 3. Februar 1811, mithin}$$

$$\frac{dq_{-2}}{dt} \text{ dem 29. Oktober 1809}$$

$$\frac{dq_{-1}}{dt} \text{ dem '10˙ Dezember 1809}$$

u. s. f.

zukommt, aus der Tabelle:

$$42 \sum_{r=-2}^{r=n-3} \frac{dq_r}{dt} = 42\left[\frac{dq_{-2}}{dt} + \frac{dq_{-1}}{dt} + \frac{dq_0}{dt} + \frac{dq_1}{dt} + \cdots + \frac{dq_{n-3}}{dt}\right]$$

$$= 56{,}829 + 76{,}602 + 90{,}348 + \cdots + 85{,}839 = 804{,}914$$

$$42 \sum_{r=-1}^{r=n-1} \frac{dq_r}{dt} = 825{,}546$$

$$42 \sum_{r=0}^{r=n-1} \frac{dq_r}{dt} = 817{,}820$$

$$42 \sum_{r=1}^{r=n} \frac{dq_r}{dt} = 788{,}294$$

$$42 \sum_{r=2}^{r=n+1} \frac{dq_r}{dt} = 743{,}709$$

und dann weiter nach Gleichung $(C)$:

$$q_n = q_0 + \frac{1}{720}[11 \cdot 804{,}914 - 74 \cdot 825{,}546 + 456 \cdot 817{,}820 + 346 \cdot 788{,}294$$

$$- 19 \cdot 743{,}709]; \ q_n - q_0 = +804''{,}595$$

als Störungsbetrag vom 21, Januar 1810 bis 3. Februar 1811.

Oben war die Störung bis zum 21. Januar 1810

$$43''{,}698$$

gefunden worden, womit sich als Gesamtwert der Störung von der Oskulation bis zum 3. Februar 1811

$$43''{,}698 + 804''{,}595 = 848''{,}293$$

ergiebt. Vergleichen wir dies mit dem Resultate der Encke-schen Rechnung

$$848''{,}289,$$

so zeigt sich eine vollständige Übereinstimmung. Denn der kleinen Differenz von

$$0''{,}004$$

kann bei einem Zeitraum von mehr als 400 Tagen eine reale Bedeutung nicht beigelegt werden.

Um schließlich auch eine Anwendung der Gleichung ($B_0$) zu geben — welche, wie schon hervorgehoben, der Genauigkeit des Enckeschen Verfahrens wohl am nächsten steht — mag noch die Störung vom 3. Februar 1811 bis 17. März 1811 berechnet werden. Es findet sich (wenn man, um sämtliche Multiplikationen sofort an der Tabelle ausführen zu können, den Koeffizienten $19 = 20 - 1$ setzt):

$$q_n - q_{n-1} = \tfrac{1}{24}[(77{,}461 + 20 \cdot 60{,}822 + 9 \cdot 54{,}004) - (5 \cdot 68{,}876 + 60{,}822)]$$
$$= \tfrac{1}{24}[(1719{,}115 - 344{,}380) = 57''{,}281.$$

Nach Encke (S. 271) beläuft sich dieselbe auf

$$905''{,}573 - 848''{,}289 = 57''{,}284.$$

Auch diese Resultate können als übereinstimmend angesehen werden.

**Zusatz.** Das eben entwickelte Verfahren der empirischen Quadratur ist lediglich aus der Eulerschen (Maclaurinschen) Reihe entnommen, während die sonst üblichen Methoden auf die Interpolationsrechnung gegründet zu werden pflegen. Im ersten Falle schließt sich die Rechnung unmittelbar an die gegebenen Differentialquotienten zweiter Ordnung an, und man ist dabei der im zweiten Falle geforderten, immerhin lästigen Bildung der höheren Differenzen überhoben. Es liegt hierin eine Bequemlichkeit, die um so weniger abzuweisen ist, als die Summenbildung der Differentialquotienten in beiden Fällen verlangt wird.

Daß außerdem das erste Verfahren keineswegs an gleiche Intervalle gebunden ist, vielmehr ebenso leicht auch für ungleiche Zwischenzeiten entwickelt werden kann, ist ohne Weiteres einleuchtend, findet aber auch schon im Anfange unserer Darstellung (Seite 79) seine Bestätigung, insofern dort ausdrücklich die Ungleichheit der Zeiträume angenommen wurde.

Übersehen wir nun — am Schlusse unserer Betrachtungen über Berechnung spezieller Störungen angelangt — nochmals das ganze Gebiet, so teilt sich dasselbe, wie folgt:

1. Berechnung der Koordinaten und Geschwindigkeiten

$$x, \, y, \, z, \, \frac{dx}{dt}, \, \frac{dy}{dt}, \, \frac{dz}{dt}$$

des gestörten Planeten, sowie der Koordinaten
$$x_1,\; y_1,\; z_1,$$
des störenden Planeten für die Zeitpunkte
$$t_{-1},\; t_0,\; t_1,\; t_2 \cdots$$
und zwar unter Anwendung der zur Zeit der Oskulation
($t_0 = 0$) stattfindenden Elemente,

2. Herstellung der Ausdrücke für die Geschwindigkeiten der Störungen aus den sub 1 gefundenen Größen nach Maßgabe des Abschnitts D,

3. Bestimmung der gestörten Elemente selbst mit Zuziehung der Gleichung ($A$).

# F.

# Mathematische Form der Variationsmethode.

Wir haben im Verlaufe unserer bisherigen Untersuchung lediglich von der dynamischen Form des Variationsprinzips Gebrauch gemacht. Zur Erreichung einer gewissen Vollständigkeit ist es jedoch notwendig, auch die mathematische Form, wenigstens ihrem Wesen nach, hier noch kurz zu erörtern. Die Behandlung eines bestimmten Falls dürfte zu diesem Zwecke am geeignetsten sein.

Stellen wir uns also die sehr allgemeine Aufgabe: von der geradlinigen, durch keine äußeren Kräfte beeinflußten Bewegung fortzuschreiten zu der von den beliebigen Komponenten

$$P \cos QX \text{ und } P \cos QY$$

erzeugten Bahn.

Im Sinne der mathematischen Variationsmethode müßte dieselbe folgendermaßen formuliert werden:

Es sind gegeben die Differentialgleichungen

$$\left. \begin{array}{l} \dfrac{d^2x}{dt^2} = 0 \\[2mm] \dfrac{d^2y}{dt^2} = 0 \end{array} \right\} \cdots (I)$$

sowie ihre Integrale:

$$\left. \begin{array}{l} \dfrac{dx}{dt} = a \\[2mm] \dfrac{dy}{dt} = \alpha \end{array} \right\} \cdots (II)$$

$$\left. \begin{array}{l} x = at + b \\ y = \alpha t + \beta \end{array} \right\} \cdots (III),$$

wo $a$, $b$, $\alpha$, $\beta$ Konstante bedeuten, nämlich die Werte der Koordinaten und ihrer Geschwindigkeiten bei Beginn der Zeit $t$

Man sucht die Integrale der Differentialgleichungen

$$\left.\begin{aligned}\frac{d^2x}{dt^2} &= P\cos QX\\[1mm]\frac{d^2y}{dt^2} &= P\cos QY\end{aligned}\right\}\cdots\cdot(I\alpha).$$

### Auflösung

Mit dem Eingreifen der Kräfte $P\cos QX$ und $P\cos QY$ können die Gröfsen $a$, $b$, $\alpha$, $\beta$ nicht länger mehr als beständig angesehen werden. Man mufs vielmehr setzen:

$$\left.\begin{aligned}\frac{dx}{dt} &= a + \left(t\frac{da}{dt} + \frac{db}{dt}\right)\\[1mm]\frac{dy}{dt} &= \alpha + \left(t\frac{d\alpha}{dt} + \frac{d\beta}{dt}\right)\end{aligned}\right\}\cdots\cdot(II\alpha)$$

$$\left.\begin{aligned}\frac{d^2x}{dt^2} &= \frac{da}{dt} + \frac{d}{dt}\left(t\frac{da}{dt} + \frac{db}{dt}\right)\\[1mm]\frac{d^2y}{dt^2} &= \frac{d\alpha}{dt} + \frac{d}{dt}\left(t\frac{d\alpha}{dt} + \frac{d\beta}{dt}\right)\end{aligned}\right\}\cdots\cdot(III\alpha).$$

Die beiden letzten Ausdrücke sind nun jedenfalls, den Bedingungen der Aufgabe gemäfs, gleich

$$P\cos QX,\ \text{bezw.}\ \cdot P\cos QY$$

anzunehmen.

Allein damit haben wir erst zwei Bedingungsgleichungen zur Bestimmung der vier Gröfsen

$$\frac{da}{dt},\ \frac{db}{dt},\ \frac{d\alpha}{dt},\ \frac{d\beta}{dt},$$

so dafs wir noch zwei weitere Bedingungen den Gleichungen $(II\alpha)$ zu entnehmen haben.

Man könnte über diese zunächst ganz willkürlich verfügen und sich in diesem Falle lediglich von dem Gesichtspunkte der gröfstmöglichen Einfachheit leiten lassen. Diese würde aber offenbar erreicht, wenn man die eingeschalteten Glieder der $(II\alpha)$ gleich Null setzte, da diese auch den Fortfall der Klammerausdrücke in den $(III\alpha)$ nach sich zöge. Es ergäben sich dann die Bestimmungsgleichungen:

$$t \frac{da}{dt} + \frac{db}{dt} = 0$$
$$t \frac{d\alpha}{dt} + \frac{d\beta}{dt} = 0$$
$$\frac{da}{dt} = P \cos QX$$
$$\frac{d\alpha}{dt} = P \cos QY$$
$$\left. \right\} \cdots \text{(IV)}.$$

Erwägt man nun aber, daſs in den Aufgaben der Astromechanik die Gleichungen (III) stets den Anfangszustand der nachfolgenden Bewegung darstellen, daſs, mit anderen Worten, die F o r m dieser Gleichungen auch für die künftige Zeit fortbestehen soll, so darf man nicht nur, sondern muſs in j e d e m Zeitmomente

$$t \frac{da}{dt} + \frac{db}{dt} = 0$$
$$t \frac{d\alpha}{dt} + \frac{d\beta}{dt} = 0$$

wählen. Denn dadurch reduzieren sich die Gleichungen (II$a$) auch bei Beginn der Zeit $t$, wie es sein muſs, auf:

$$\frac{dx}{dt} = a$$
$$\frac{dy}{dt} = \alpha.$$

Wir gelangen also auch durch diese Überlegung zu denselben Bestimmungsgleichungen (IV). Substituiert man nun die hieraus folgenden Werte von

$$\frac{da}{dt}, \frac{db}{dt}, \frac{d\alpha}{dt}, \frac{d\beta}{dt}$$

in das System (III), so erhält man für die durch die Kräfte $P \cos QX$ und $P \cos QY$ g e s t ö r t e n Koordinaten die Gleichungen:

$$x = [a_0 + \int P \cos QX \cdot dt] \, t + [b_0 - \int t \cdot P \cos QX \, dt]$$
$$y = [\alpha_0 + \int P \cos QY \cdot dt] \, t + [\beta_0 - \int t \cdot P \cos QY \, dt]$$
$$\left. \right\} \cdots \text{(V)}.$$

Eine allgemeine Ausführung der Integrale

$$\int t \cdot P \cos QX \, dt \text{ und } \int t \, P \cos QY \, dt$$

würde die Kenntnis der Kräfte als Funktionen der Zeit, also die Lösung der Aufgabe, bereits voraussetzen; sie ist deshalb nicht einmal in dem einfachen Falle der elliptischen Bewegung möglich, wo

$$P\cos QX = -\frac{f(1+m)x}{r^3}$$

$$P\cos QY = -\frac{f(1+m\,y}{r^3}.$$

Will man die Gleichungen (V) dessenungeachtet benutzen, so bleibt nichts übrig als ein empirisches Verfahren — nach Analogie des seither in der Störungsrechnung gebrauchten — zu Hilfe zu nehmen, durch welches aus einzelnen numerischen Werten der Kräfte diese selbst als empirische Funktionen der Zeit erhalten werden.

Es verdient besondere Erwähnung, daſs die beiden Integrale in jeder der Gleichungen (V) sich in ein einziges zusammenziehen lassen. Denn nach der Regel von der partiellen Integration hat man:

$$t.\smallint P\cos QX\,dt - \smallint t\,P\cos QX\,dt = \smallint dt \smallint P\cos QX\,dt$$
$$t\smallint P\cos QY\,dt - \smallint t\,P\cos QY\,dt = \smallint dt \smallint P\cos QY\,dt.$$

Hiernach sind die Gleichungen (V) auch durch die folgenden ersetzbar:

$$\left.\begin{array}{l} x = b_0 + a_0 t + \smallint dt \smallint P\cos QX\,dt \\ y = \beta_0 + \alpha_0 t + \smallint dt \smallint P\cos QY\,dt \end{array}\right\} \dots (V\alpha).$$

Wir kommen so wieder zu denselben Gleichungen, welche im Abschnitte E den Ausgangspunkt unserer Betrachtungen bildeten, und diese Thatsache läſst die Natur der Variationsmethode — als einer bloſsen Reduktionsmethode — klar erkennen.

Man kann aber den Gleichungen (Vα) aber auch noch die folgende Form geben:

$$\left.\begin{array}{l} x = \smallint [a_0 + \smallint P\cos QX\,dt]\,dt + b_0 \\ y = \smallint [\alpha_0 + \smallint P\cos QY\,dt]\,dt + \beta_0 \end{array}\right\} \dots (V\beta),$$

welche wohl als der natürlichste Ausdruck des Problems betrachtet werden dürfen, insofern sie die Störung durch

$$P\cos QX = \frac{d^2x}{dt^2} \quad \text{und} \quad P\cos QY = \frac{d^2y}{dt^2}$$

lediglich auf

$$a_0 = \frac{dx_0}{dt} \quad \text{und} \quad \alpha_0 = \frac{dy_0}{dt}$$

übertragen.

Überhaupt aber lehren die verschiedenen Formen

$$(V), \ V\alpha) \ \text{und} \ (V\beta),$$

daſs derselbe Zweck auf mannigfache Weise erreicht werden kann. In den Gleichungen (V) unterliegen sämtliche Oskulations-konstanten

$$a_0, \ b_0, \ \alpha_0, \ \beta_0$$

der Variation. Die Gleichungen (V$\alpha$) gestatten die Auffassung, daſs nur $b_0$ und $\beta_0$, also die Anfangswerte der Koordinaten, Variationen erleiden, während in den Gleichungen (V$\beta$) um-gekehrt nur $a_0$ und $\alpha_0$, also die Oskulationswerte der Geschwindig-keiten, gestört erscheinen.

Im Vorstehenden haben wir die mathematische Form der Variationsmethode nur auf einen bestimmten Fall angewendet, nämlich zur Ableitung der gestörten aus der oskulierenden geradlinigen Bewegung. Dennoch wird der Leser den all-gemeinen Grundgedanken unschwer herausfinden. Wir dürfen uns daher auf folgende Andeutungen beschränken:

Angenommen, man kenne die Koordinaten der oskulierenden (etwa der elliptischen) Bewegung als Funktion gewisser Konstanten

$$a, \ \varepsilon, \ \mu, \ \omega, \ \Omega, \ i$$

und der freien Zeit $t$, so können wir diesen Zusammenhang durch folgende Gleichungen

$$x = f(a, \ \varepsilon, \ \mu, \ \omega, \ \Omega, \ i, \ t)$$
$$y = \varphi(a, \ \varepsilon, \ \mu, \ \omega, \ \Omega, \ i, \ t)$$
$$z = \psi(a, \ \varepsilon, \ \mu, \ \omega, \ \Omega, \ i, \ t)$$

zum Ausdrucke bringen.

Differenziert man nun diese Gleichungen zweimal nachein-ander, wobei auch die bisherigen Konstanten als veränderlich betrachtet werden, so ergeben sich 6 Gleichungen, aus denen die 6 Bestimmungsgleichungen für die Variation der 6 Konstanten dadurch gewonnen werden, daſs man zunächst die Aggregate der ersten Differentialquotienten (nach Abzug der auf die freie Zeit $t$ sich beziehenden)

$$= \ \text{Null},$$

sodann, unter Berücksichtigung dieser 3 ersten Bedingungs-gleichungen, die zweiten Differentialquotienten

$$= \ \text{den störenden Kräften}$$

setzt.

Das Prinzip ist klar und einfach, die Durchführung der Rechnung aber in den meisten Fällen — z. B. bei dem Übergange von den elliptischen zu den gestörten Elementen einer Planeten-bahn — überaus mühevoll. Dieselbe wird besonders erschwert durch die hier stets notwendig werdenden Eliminationen, obwohl die Unbekannten

$$\frac{da}{dt}, \frac{ds}{dt} \dots$$

nur linear in den Bestimmungsgleichungen auftreten. Gerade in der Vermeidung dieser Eliminationen liegt der wesentlichste Vorzug der dynamischen Form der Variationsmethode.

# G.

# Berechnung der Planetenbahneń aus Beobachtungen.

———

### Die allgemeinen Bedingungen des Problems.

Der eben abgeschlossenen Untersuchung über die Bewegungs-Störungen der Himmelskorper lag die Kenntnis der ungestörten elliptischen Bahn als wesentliche Voraussetzung zu Grunde. Sowohl dieser Umstand, als die, wie wir bald sehen werden, mit den vorhergehenden Entwickelungen obwaltende methodische Verwandtschaft veranlaſst uns, auch dem

Probleme der elliptischen Bahnberechnung

eine etwas eingehendere Besprechung zu widmen. Ohne an dieser Stelle schon eine strenge Definition dieses Problems zu geben, sei nur im allgemeinen bemerkt, daſs dasselbe zum Gegenstande hat, die als elliptisch angenommene Bahn eines meist bis dahin noch gänzlich unbekannten Himmelskörpers aus geeigneten, stets nur einen kurzen Zeitraum umfassenden Beobachtungen zu bestimmen.

Bedeuten

$$x_{,1} \; y_1, \; z_1$$
$$x_2, \; y_2, \; z_2$$
$$x_3, \; y_3, \; z_3$$

die zu erforschenden rechtwinkligen heliozentrischen Koordinaten dreier Planetenörter in Bezug auf die Ekliptik, sowie

$$t_1 \text{ und } t_2$$

die Zeitabschnitte, welche beim Übergange des Planeten vom

ersten zum zweiten, bezw. vom zweiten zum dritten Orte ver-
fliefsen, so hat man nach der Eulerschen Reihe:

$$
\left.
\begin{aligned}
x_1 &= x_2 - \frac{dx_2}{dt} \cdot \frac{t_1}{1} + \frac{d^2x_2}{dt^2} \cdot \frac{t_1{}^2}{2!} - \frac{d^3x_2}{dt^3} \frac{t_1{}^3}{3!} + \cdots \\
y_1 &= y_2 - \frac{dy_2}{dt} \cdot \frac{t_1}{1} + \frac{d^2y_2}{dt^2} \cdot \frac{t_1{}^2}{2!} - \cdots \\
z_1 &= z_2 - \frac{dz_2}{dt} \cdot \frac{t_1}{1} + \frac{d^2z_2}{dt^2} \cdot \frac{t_1{}^2}{2!} - \cdots \\
x_3 &= x_2 + \frac{dx_2}{dt} \cdot \frac{t_2}{1} + \frac{d^2x_2}{dt^2} \cdot \frac{t_2{}^2}{2!} + \cdots \\
y_3 &= y_3 + \frac{dy_2}{dt} \cdot \frac{t_2}{1} + \frac{d^2y_2}{dt^2} \cdot \frac{t_2{}^2}{2!} + \cdots \\
z_3 &= z_3 + \frac{dz_2}{dt} \cdot \frac{t_2}{1} + \frac{d^2z_2}{dt^2} \cdot \frac{t_2{}^2}{2!} + \cdots
\end{aligned}
\right\} \cdots \cdots (I).
$$

Da die Differentialquotienten der zweiten Ordnung nach dem
Gravitationsgesetze durch die Koordinaten ausgedrückt werden
können, indem

$$
\frac{d^2x_2}{dt^2} = - \frac{k^2x_2}{r_2{}^3}
$$

$$
\frac{d^2z_2}{dt^2} = - \frac{k^2z_2}{r_2{}^3} \quad \text{u. s. f.,}
$$

alle höhere Quotienten aber auf die Koordinaten und die beiden
ersten Quotienten reduzierbar sind, da beispielsweise

$$
\frac{d^3x_2}{dt^3} = k^2 \left[ \frac{3x_2}{r_2{}^4} \frac{dr_2}{dt} - \frac{1}{r_2{}^3} \cdot \frac{dx_2}{dt} \right]
$$

oder*)

$$
\frac{d^3x_2}{dt^3} = k^2 \left[ \frac{3x_2}{r_2{}^4} \left( \frac{x_2}{r_2} \frac{dx_2}{dt} + \frac{y_2}{r_2} \frac{dy_2}{dt} + \frac{z_2}{r_2} \frac{dz_2}{dt} \right) - \frac{1}{r_2{}^3} \frac{dx_2}{dt} \right]
$$

u. s. f.,

so enthält das Gleichungssystem (I) nur zwölf Unbekannte,
nämlich die neun Koordinaten und die drei Differentialquotienten
der ersten Ordnung.

---

*) mit Berücksichtigung der Gleichung

$$
r_2{}^2 = x_2{}^2 + y_2{}^2 + z_2{}^2,
$$

woraus

$$
\frac{dr_2}{dt} = \frac{x_2}{r_2} \frac{dx_2}{dt} + \frac{y_2}{r_2} \frac{dy_2}{dt} + \frac{z_2}{r_2} \frac{dz_2}{dt}
$$

folgt.

Liefert also die Beobachtung eine Reihe von Größen, mit deren Hilfe sechs weitere Beziehungen zwischen den Unbekannten aufgestellt werden können, so hat man für die zwölf Unbekannten eine genügende Anzahl von Bestimmungsgleichungen und unser Problem ist, wenigstens sachlich, gelöst.

Der Ort der Erde, d. h.

ihre heliozentrische Länge $L$ und

ihre Entfernung von der Sonne $R$

ist aus der bekannten Theorie der Erdbewegung für die drei, durch die Intervalle

$$t_1 \text{ und } t_2$$

getrennten Beobachtungsmomente leicht und genau bestimmbar. Wir dürfen hiernach

$$L_1, R_1$$
$$L_2, R_2$$
$$L_3, R_3$$

als gegeben betrachten.

Nehmen wir nun ferner an, es seien die den drei Erdörtern entsprechenden geozentrischen Längen und Breiten des Planeten, nämlich

$$\lambda_1, \beta_1$$
$$\lambda_2, \beta_2$$
$$\lambda_3, \beta_3$$

durch Beobachtung gefunden worden, so haben wir eine genügende Anzahl Data, um die fehlenden sechs Bestimmungsgleichungen bilden zu können.

Bezeichnet man nämlich mit

$$\varrho$$

den (unbekannten) Abstand der Erde von dem Planeten, so hat man, wie wir aus der analytischen Geometrie wissen, außerdem durch eine leicht zu entwerfende Figur bestätigt wird (vergl. u. A. des Verf. Elem. der Astron., II.. S. 100):

$$\left. \begin{array}{l} x_1 = \varrho_1 \sin \beta_1 \\ y_1 = \varrho_1 \cos \beta_1 \sin \lambda_1 + R_1 \sin L_1 \\ z_1 = \varrho_1 \cos \beta_1 \cos \lambda_1 + R_1 \cos L_1 \end{array} \right\} \quad \cdots \cdots (\alpha)$$

und ähnliche Gleichungen für die 6 anderen Koordinaten. Dabei ist also die $X$-Achse senkrecht zur Ekliptikebene angenommen.

Eliminiert man die $\varrho$, so folgt:

$$\left.\begin{aligned}
y_1 &= x_1 \cdot \cot \beta_1 \sin \lambda_1 + R_1 \sin L_1 \\
z_1 &= x_1 \cdot \cot \beta_1 \cos \lambda_1 + R_1 \cos L_1 \\
y_2 &= x_2 \cdot \cot \beta_2 \sin \lambda_2 + R_2 \sin L_2 \\
z_2 &= x_2 \cdot \cot \beta_2 \cos \lambda_2 + R_2 \cos L_2 \\
y_3 &= x_3 \cdot \cot \beta_3 \sin \lambda_3 + R_3 \sin L_3 \\
z_3 &= x_3 \cdot \cot \beta_3 \cos \lambda_3 + R_3 \cos L_3
\end{aligned}\right\} \quad \dots \quad (II)$$

und damit sind wir im Besitze der gesuchten sechs weiterer Relationen, welche verbunden mit dem Systeme (I) das Problem lösen.

Wir erkennen hieraus — was mit Hilfe allgemeiner endlicher Gleichungen erst durch eine sehr umständliche Untersuchung möglich ist — dafs auf Grund folgender Data:

1. der drei Erdörter,
2. der drei Paare geozentrischer Längen und Breiten des Planeten,
3. der beiden Zwischenzeiten,

das **Bahnproblem völlig bestimmt** ist.

## Erste näherungsweise Bestimmung der Bahn.

Beseitigt man aus dem Systeme (I) die ersten Differentialquotienten, so ergiebt sich:

$$\left.\begin{aligned}
&t_1 x_3 + t_2 x_1 - (t_1 + t_2)x_2 \\
&= \frac{t_1 t_2 (t_1 + t_2)}{1.2}\frac{d^2 x_2}{dt^2} + \frac{t_1 t_2 (t_2{}^2 - t_1{}^2)}{3!}\frac{d^3 x_2}{dt^3} \\
&\qquad + \frac{t_1 t_2 (t_2{}^3 + t_1{}^3)}{4!}\frac{d^4 x_2}{dt^4} \\
&\qquad\qquad + \frac{t_1 t_2 (t_2{}^4 - t_1{}^4)}{5!}\frac{d^5 x_2}{dt^5} + \cdots = \triangle x_2 \\[4pt]
&t_1 y_3 + t_2 y_1 - (t_1 + t_2)y_2 \\
&= \frac{t_1 t_2 (t_1 + t_2)}{1.2}\frac{d^2 y_2}{dt^2} + \frac{t_1 t_2 (t_2{}^3 + t_1{}^3)}{3!}\frac{d^3 y_2}{dt^3} \\
&\qquad + \frac{t_1 t_2 (t_2{}^3 + t_1{}^3)}{4!}\frac{d^4 y_2}{dt^4} + \cdots = \triangle y_2 \\[4pt]
&t_1 z_3 + t_2 z_1 - (t_1 + t_2)z_2 \\
&= \frac{t_1 t_2 (t_1 + t_2)}{1.2}\frac{d^2 z_2}{dt^2} + \frac{t_1 t_2 (t_2{}^2 - t_1{}^2)}{3!}\frac{d^3 z_2}{dt^3} + \cdots = \triangle z_2
\end{aligned}\right\} (III)$$

. Wir entnehmen nun diesen Gleichungen — deren Entwicke-
lungsgesetz ebenso klar wie einfach ist — weiter, daſs man die
Zwischenzweiten $t_1$ und $t_2$ zwar vom theoretischen Standpunkte
ganz beliebig wählen kann, daſs es sich für die Rechnung hingegen empfiehlt dieselben gleich, oder wenigstens nahezu gleich
zu wählen, da alsdann die dritten (überhaupt die ungeraden)
Differentialquotienten verschwinden, daſs man ferner dieselben
nur von mäſsiger Gröſse (etwa. 8 bis 14 Tagen) wählen darf,
da sonst die höheren Differentialquotienten zu stark ins Gewicht
fallen und ihre Vernachlässigung bei einer ersten Näherungsrechnung allzu schädlich wirken kann. Die Bemühungen der
Astronomen sind deshalb auch stets darauf gerichtet, die Beobachtungen diesen beiden Bedingungen zu unterwerfen. Sind
dieselben erfüllt, so lehrt die Erfahrung, daſs man stets zu
brauchbaren Näherungswerten gelangt, wenn man in erster
Rechnung die rechten Seiten der Gleichungen (III)

$$\triangle x_2 = \frac{t_1 t_2 (t_1 + t_2)}{1} \cdot \frac{d^2 x_2}{dt_2}; \quad \triangle y_2 = \frac{t_1 t_2 (t_1 + t_2)}{1} \cdot \frac{d^2 y_2}{dt^2};$$

$$\triangle z_2 = \frac{t_1 t_2 (t_1 + t_2)}{1} \cdot \frac{d^2 z_2}{dt^2}$$

annimmt, mithin bei Beginn der Rechnung die Gleichungen an-
wendet:

$$\left.
\begin{aligned}
t_1 x_3 + t_2 x_1 - (t_1 + t_2)\left(1 - \frac{k^2 t_1 t_2}{2 r_2{}^3}\right) x_2 &= 0 \\[1mm]
t_1 y_3 + t_2 y_1 - (t_2 + t_2)\left(1 - \frac{k_2 t_1 t_2}{2 r_2{}^3}\right) y_2 &= 0 \\[1mm]
t_1 z_3 + t_2 z_1 - (t_1 + t_2)\left(1 - \frac{k^2 t_1 t_2}{2 r_2{}^3}\right) z_2 &= 0
\end{aligned}
\right\} \; \ldots \text{(III}\alpha\text{).}$$

Der fernere Verlauf der ersten Näherungsrechnung ist nun leicht
zu überblicken. Setzt man nämlich

$$r_2{}^3 = (x_2{}^2 + y_2{}^2 + z_2{}^2)^{\frac{3}{2}},$$

so ist klar, daſs sich mit Zuziehung der 3. und 4. Gleichung des
Systems (II) dieser Ausdruck sich in eine bloſse Funktion von
$x_2$ verwandelt und daſs dieselbe Reduktion mit dem $y_2$ und $z_2$
der (III$\alpha$) vorgenommen werden kann, so daſs überhaupt also
die drei letzten Glieder der Gleichung (III$\alpha$) bloſs noch die
Unbekannte $x_2$ enthalten. Werden nun gleichfalls mit Hilfe der
(II) auch die Koordinaten

$$y_3, \; y_1$$
$$z_3, \; z_1$$

aus den (IIIα) entfernt, so nehmen letztere eine Form an, aus welcher auch die beiden Koordinaten

$$x_3 \text{ und } x_1$$

ohne Weiteres fortgeschafft werden können. Die Finalgleichung enthält dann lediglich noch die Unbekannte

$$x_2,$$

deren Bestimmung schließlich mit irgend einer empirischen Methode — etwa der *regula falsi* — zu erfolgen hat. Der Eliminationsprozeß gestaltet sich zwar etwas umständlich, aber, da er durchängig linearer Natur ist, ohne jede Schwierigkeit. Wollte man die Schlußgleichung rational machen, so würde sie in Bezug auf $x_2$ bis zum 8. Grade ansteigen. Übrigens kann man — wenn dies vorgezogen wird — sogar mit bloßen linearen Gleichungen operieren, indem man zunächst auch die (das Quadrat der Gaußschen Konstanten $k$ enthaltenden) Differentialquotienten der zweiten Ordnung aus den Gleichungen (IIIα) fortläßt, sodann mit den so erhaltenen Werten von $x_2$, $y_2$, $z_2$ die Größe von $r_2$ berechnet, letzteren Wert in die Gleichungen (IIIα) einführt, die Koordinaten $x_2$, $y_2$, $z_2$ von neuem berechnet und dies solange fortsetzt, bis eine Verbesserung von $r_2$ nicht mehr eintritt.

Selbstverständlich lassen sich statt der rektangulären Koordinaten

$$x_1, \; y_1, \; z_1$$
$$x_2, \; y_2, \; z_2$$
$$x_3, \; y_3, \; z_3$$

vermöge der Gleichungen (α) auch die geozentrischen Entfernungen

$$\varrho_1, \; \varrho_2, \; \varrho_3$$

des Himmelskörpers einführen. Geschieht dies, so ergiebt die Auflösung des Systems (IIIα) folgende Bestimmungsgleichungen:

$$
\begin{aligned}
&1. \quad \varrho_1 = \frac{a_2(t_1+t_2) - a_3 t_1 - a_1 t_2}{t_2} - a_2 \frac{k^2 t_1 (t_1+t_2)}{2 r_2{}^3} \\[2mm]
&2. \quad \varrho_2 = \frac{b_3 t_1 + b_1 t_2 - b_2(t_1+t_2)}{t_1+t_2} + \frac{b_3 t_1 + b_1 t_2}{t_1+t_2} \cdot \frac{k^2 t_1 t_2}{2 r_2{}^3} \\[2mm]
&3. \quad \varrho_3 = \frac{c_2(t_1+t_2) - c_3 t_1 - c_1 t_2}{t_1} - c_2 \frac{k^2 t_2 (t_1+t_2)}{2 r_2{}^3}
\end{aligned}
\qquad \Biggr\} \;\; . \;\; (IV),
$$

wenn zur Abkürzung die aus den Beobachtungen folgenden Gröfsen

$$\operatorname{tg}\beta_1 \sin(\lambda_3 - \lambda_2) - \operatorname{tg}\beta_2 \sin(\lambda_3 - \lambda_1) + \operatorname{tg}\beta_3 \sin(\lambda_2 - \lambda_1) = \alpha$$

$$[\operatorname{tg}\beta_2 \sin(L_1 - \lambda_3) - \operatorname{tg}\beta_3 \sin(L_1 - \lambda_2)] \frac{R_1}{\alpha \cos\beta_1} = a_1$$

$$[\operatorname{tg}\beta_3 \sin(L_1 - \lambda_1) - \operatorname{tg}\beta_1 \sin(L_1 - \lambda_3)] \frac{R_1}{\alpha \cos\beta_2} = b_1$$

$$[\operatorname{tg}\beta_1 \sin(L_1 - \lambda_2) - \operatorname{tg}\beta_2 \sin(L_1 - \lambda_1)] \frac{R_1}{\alpha \cos\beta_3} = c_1$$

gesetzt werden und man unter

$$a_2, \ b_2, \ c_2$$
$$a_3, \ b_3, \ c.$$

die analogen $L_2$ und $L_3$ statt $L_1$ in sich aufnehmenden Ausdrücke versteht.

Fügt man zu den Gleichungen (IV) die aus dem Dreiecke

Sonne - Planet - Erde

folgende Relation

$$r_2{}^2 = \varrho_2{}^2 + 2R_2 \cos\beta_2 \cos(L_2 - \lambda_2)\varrho_2 + R_2{}^2 \ \ldots \ldots \ (\beta),$$

so sind jene Gleichungen auf sehr verschiedene Weisen lösbar, am einfachsten dadurch, dafs man in $(\beta)$ zunächst

$$\varrho_2 = \frac{b_3 t_1 + b_1 t_2 - b_2(t_1 + t_2)}{t_1 + t_2}$$

setzt und mit dem daraus hergeleiteten Werte von $r_2$ in die zweite der Gleichungen (IV) eingeht, sodann den solchergestalt verbesserten Wert von $\varrho_2$ von neuem in $(\beta)$ substituiert, mit dem korrigierten $r_2$ einen abermals genauern Wert von $\varrho_2$ sucht und diese Korrektionen zwei- oder dreimal, überhaupt so lange wiederholt, bis etwa die drei ersten Dezimalen von $\varrho_2$ unverändert bleiben. Den gefundenen Wert von $\varrho_2$, bezw. $r_2$ betrachtet man als den definitiven

ersten Näherungswert,

der dann auch zur Berechnung von $\varrho_1$ und $\varrho_3$ aus der ersten und dritten Gleichung des Systems (IV) verwendet wird.

Es würde Zeitvergeudung sein, diese erste Näherungsrechnung weiter, d. h. bis zur Erlangung streng genügender

Zahlenwerte auszuführen, da den Gleichungen (IV) selbst noch ein Fehler der dritten Ordnung (d. h. ein Fehler von der Ordnung $k^3 t^3$) anhaftet, welcher der Regel nach bereits auf der 3. oder 4. Dezimale zur Geltung kommt. Daher können auch unbedenklich bei diesem ersten Teile der Rechnung vier- oder fünfstellige Logarithmen gebraucht werden.

### Verbesserung der Zeiten wegen Aberration.

Die Zwischenzeiten

$$t_1 \text{ und } t_2$$

der drei Beobachtungen bedürfen stets noch einer kleinen Berichtigung wegen der s. g. Aberration, die man — wenn der Himmelsköper, also auch die Entfernung $\varrho$ noch völlig unbekannt ist — nach der ersten Näherungsrechnung anzubringen pflegt.

Das Licht braucht nämlich zur Zurücklegung des Erdbahnhalbmessers

$$0{,}0057 \text{ Tage}$$

zum Durchlaufen der Strecke $\varrho$ (Entfernung des beobachteten Himmelskörpers von der Erde)-demnach

$$\varrho \cdot 0{,}0057^d.$$

Die Zeitpunkte der Beobachtungen sind mithin um diesen Betrag zu vermindern, damit sie den beobachteten Örtern entsprechen.

Nennt man $T_1$ und $T_2$ die verbesserten, zwischen den drei Beobachtungen liegenden Zeiträume, so erhält man dieselben also, nach vorgängiger Berechnung von $\varrho_1$, $\varrho_2$ und $\varrho_3$, aus den Gleichungen

$$T_1 = t_1 - (\varrho_2 - \varrho_1) \cdot 0{,}0057^d$$
$$T_2 = t_2 - (\varrho_3 - \varrho_2) \cdot 0{,}0057^d,$$

und diese korrigierten Zwischenzeiten sind nun den weiteren Näherungsrechnungen zu Grunde zu legen.

### Berücksichtigung der Größen 3. und 4. Ordnung.

Die Gleichungen (IV) sind im Verein mit ($\beta$) zur Gewinnung guter erster Näherungswerte sehr geeignet, vorausgesetzt, daß die Zwischenzeiten eine geringe und möglichst gleiche Größe besitzen. In dem Mafse jedoch als diese (immer recht lästige) Bedingung unerfüllt bleibt, vermindert sich auch der durch jene Gleichungen erreichte Grad von Annäherung.

In solchen Fällen verdient das folgende Verfahren besondere Beachtung, welches von vornherein auch die

dritten und vierten Differentialquotienten

$$\frac{d^3x_2}{dt^3}, \frac{d^4x_2}{dt^4} \text{ u. s. f.,}$$

demnach die Gröfsen 3. und 4. Ordnung mit völliger Strenge berücksichtigt und die Rechnung somit von der postulierten Bedingung der Gleichheit und Kleinheit der Zwischenzeiten möglichst frei macht.

Aus unseren früheren Entwickelungen (S. 80) kennen wir bereits die bis auf Gröfsen der 5. Ordnung genauen Gleichungen:

$$\left.\begin{aligned}
\frac{d^3x_2}{dt^3} &= \frac{1}{t_1 t_2(t_1+t_2)}\left[t_1{}^2\frac{d^3x_3}{dt^2} - t_2{}^2\frac{d^2x_1}{dt^2} - (t_1{}^2 - t_2{}^2)\frac{d^2x_2}{dt^2}\right] \\
\frac{d^4x_2}{dt^4} &= \frac{2}{t_1 t_2(t_1+t_2)}\left[t_2\frac{d^2x_1}{dt^2} + t_1\frac{d^2x_3}{dt^2} - (t_1+t_2)\frac{d^2x_2}{dt^2}\right]
\end{aligned}\right\} \cdot \cdot (\gamma)$$

und die ähnlichen Relationen für $\dfrac{d^3y_2}{dt^3}$ u. s. f.

Substituiert man diese Werte in das Hauptsystem (III) und setzt abkürzend

$$\frac{t_1{}^2 - t_2{}^2 - t_2 t_1}{12} = T_3$$

$$\frac{t_2{}^2 - t_1{}^2 - t_1 t_2}{12} = T_1$$

$$\frac{t_2{}^2 + t_1{}^2 + 3 t_1 t_2}{12} = T_2$$

so erhält man die Gleichungen:

$$x_1 \cdot \frac{t_2}{t_1+t_2}\left(1 - T_1\frac{k^3}{r_1{}^3}\right) + x_3\frac{t_1}{t_1+t_2}\left(1 - T_3\frac{k^2}{r_3{}^3}\right)$$

$$- x_2\left(1 - T_2\frac{k^2}{r_2{}^3}\right) = 0$$

u. s. f.

Werden mit Zuziehung der ($\alpha$) wieder die Entfernungen $\varrho$ eingeführt und dann die Gleichungen gelöst, so ergeben sich die bis auf Gröfsen der 5. Ordnung strengen Relationen:

**1.**

$$\varrho_1 = \frac{a_2(t_1+t_2)-a_3t_1-a_1t_2}{t_2} + \frac{t_1+t_2}{t_2}\, a_2 \cdot \frac{T_1\dfrac{k^2}{r_2{}^3}-T_2\dfrac{k^2}{r_2{}^3}}{1-T_1\dfrac{k^2}{r_1{}^3}}$$

$$-\frac{t_1}{t_2}\, a_3 \cdot \frac{T_1\dfrac{k^2}{r_1{}^3}-T_3\dfrac{k^2}{r_3{}^3}}{1-T_1\dfrac{k^2}{r_1{}^3}}$$

**2.**

$$\varrho_2 = \frac{b_3t_1+b_1t_2-b_2(t_1+t_2)}{t_1+t_2} + \frac{t_1}{t_1+t_2}\, b_3 \cdot \frac{T_2\dfrac{k^2}{r_2{}^3}-T_3\dfrac{k^2}{r_3{}^3}}{1-T_2\dfrac{k^2}{r_2{}^3}}$$

$$+\frac{t_2}{t_1+t_2}\, b_1 \cdot \frac{T_2\dfrac{k^2}{r_2{}^3}-T_1\dfrac{k^2}{r_2{}^3}}{1-T_2\dfrac{k_2}{r_2{}^3}}$$

**3.**

$$\varrho_3 = \frac{c_2(t_1+t_2)-c_3t_1-c_1t_2}{t_1} + \frac{t_1+t_2}{t_1}\, c_2 \cdot \frac{T_3\dfrac{k^2}{r_3{}^3}-T_2\dfrac{k^2}{r_2{}^3}}{1-T_3\dfrac{k^3}{r_3{}^3}}$$

$$-\frac{t_2}{t_3}\, c_1 \cdot \frac{T_3\dfrac{k^2}{r_3{}^3}-T_1\dfrac{k^2}{r_3{}^3}}{1-T_3\dfrac{k^2}{r_3{}^3}}$$

$$\left.\right\}\ \text{(III}\beta\text{)},$$

welche mit den Hilfsgleichungen

$$\left.\begin{aligned}
r_1{}^2 &= \varrho_1{}^2 + 2R_1\cos\beta_1\cos(L_1-\lambda_1)\varrho_1 + R_1{}^2\\
r_2{}^2 &= \varrho_2{}^2 + 2R_2\cos\beta_2\cos(L_2-\lambda_2)\varrho_2 + R_2{}^2\\
r_3{}^2 &= \varrho_3{}^2 + 2R_3\cos\beta_3\cos(L_3-\lambda_3)\varrho_3 + R_3{}^2
\end{aligned}\right\}\ \cdots\ (\delta)$$

einer sehr einfachen Auflösung fähig sind.

Zunächst setzt man in den ($\delta$) wieder (wenn noch keine Näherungsrechnung vorausgegangen ist):

$$\varrho_1 = \frac{a_2(t_1+t_2)-a_3t_1-a_1t_2}{t_2} \qquad \varrho_2 = \frac{b_3t_1+b_1t_2-b_2(t_1+t_2)}{t_1+t_2}$$

$$\varrho_3 = \frac{c_2(t_1+t_2)-c_3t_1-c_1t_2}{t_1},$$

berechnet mit den gefundenen Werten von

$$r_1, \; r_2, \; r_3$$

die Entfernungen $\varrho_2$, $\varrho_2$, $\varrho_3$ aus den (III$\beta$) genauer, bestimmt aus diesen wieder durch Anwendung von ($\delta$) verbesserte Werte der $r$, sodann aus (III$\beta$) abermals genauere Werte der $\varrho$ und setzt dies Verfahren fort, bis man streng genügende Zahlenwerte gefunden hat — wenigstens, wenn man, nach sorgfältiger Prüfung der konkreten Verhältnisse, glaubt mit einer Berücksichtigung der Gröfsen 4. Ordnung die Rechnung abschliefsen zu können, was namentlich bei neuen Bahnberechnungen (nach Gaufs) die Regel bildet. Beabsichtigt man hingegen, noch eine weitere Näherungsrechnung folgen zu lassen, so wird es genügen, jene wechselseitigen Verbesserungen der $\varrho$ und $r$ bis zur genauen Ermittelung etwa der 5. Dezimale vorzunehmen.

Wird die auf Grund der (III$\beta$) und ($\delta$) geführte Rechnung mit den von der Aberration noch affizierten Zeiten begonnen, so mufs man selbstverständlich im geeigneten Moment — nachdem etwa die drei ersten Dezimalen der $\varrho$ bestimmt sind — die Intervalle von dem Einflusse der Aberration befreien, und dann erst mit den verbesserten Zeiten die Rechnung vollenden. Allerdings verlangt das vorstehende Verfahren die gleichzeitige Auflösung dreier Gleichungen. Aber dieser Umstand wird bei der einfachen Struktur der Gleichungen (III$\beta$) kaum als eine Erschwerung empfunden werden, zumal man sich am Schlusse der Rechnung auch sofort im Besitze der drei Hauptgröfsen

$$\varrho_1, \; \varrho_2, \; \varrho_3$$

befindet.

## Fortsetzung der Näherungsrechnungen durch Einschaltung neuer Örter.

Das eben entwickelte Verfahren, dessen Wesen in einer Reduktion der 3. und 4. Differentialquotienten auf diejenigen der 2. Ordnung besteht, läfst sich nun auch — allerdings mit einem erheblich gröfseren Aufwand von Rechnung — auf die noch höheren Differentialquotienten ausdehnen.

Um zunächst die Quotienten 5. und 6. Ordnung numerisch feststellen zu können, würden aufser den aut die drei beobachteten Planetenörter sich beziehenden Differentquotienten

2. Ordnung noch zwei weitere solcher Quotienten erforderlich
sein — und zwar dürften diese sämtliche 5 Quotienten nur noch
Fehler der 7. Ordnung enthalten, da sie sonst zur Bestimmung
von Größen 6. Ordnung untauglich wären.

Angenommen, es seien auch die den **Mitten** der Zeitintervalle

$$t_1 \text{ und } t_2$$

entsprechenden Quotienten 2. Ordnung

$$\frac{d^2 x_{1,5}}{dt^2} \text{ und } \frac{d^2 x_{2,5}}{dt^2}$$

mit der eben als erforderlich bezeichneten Genauigkeit bekannt,
so könnten folgende Gleichungen angesetzt werden:

$$\frac{d^2 x_1}{dt^2} = \frac{d^2 x_2}{dt^2} - \frac{d^3 x_2}{dt^3} \cdot \frac{t_1}{1} + \dots + \frac{d^6 x_2}{dt^6} \cdot \frac{t_1{}^4}{4!}$$

$$\frac{d^2 x_{1,5}}{dt^2} = \frac{d^2 x_2}{dt^2} - \frac{d^3 x_2}{dt^3} \left(\frac{t_1}{2}\right) + \dots + \frac{d^6 x_2}{dt^6} \cdot \frac{t_1{}^4}{2^4 \cdot 4!}$$

$$\frac{d^2 x_{2,5}}{dt^2} = \frac{d^2 x_2}{dt^2} + \frac{d^3 x_2}{dt^3} \cdot \frac{t_2}{2 \cdot 1} + \dots + \frac{d^6 x_2}{dt^6} \cdot \frac{t_2{}^4}{2^4 \cdot 4!}$$

$$\frac{d^2 x_3}{dt^2} = \frac{d^2 x_2}{dt^2} + \frac{d^3 x_2}{dt^3} \cdot \frac{t_2}{1} + \dots + \frac{d^6 x_2}{dt^6} \cdot \frac{t_2{}^4}{4!}$$

Aus diesen 4 Gleichungen ließen sich aber die 4 Größen

$$\frac{d^3 x_2}{dt^3}, \quad \frac{d^4 x_2}{dt^4}, \quad \frac{d^5 x_2}{dt^5}, \quad \frac{d^6 x_2}{dt^6}$$

sofort numerisch bestimmen. Es bedarf dabei wohl keines besonderen Hinweises, daß die früher gefundenen und benutzten
Werte von

$$\frac{d'x_2}{dt^3} \text{ und } \frac{d^4 x_2}{dt^4}$$

im gegenwärtigen Falle nicht mehr ausreichen.

Wir haben also nur noch zu überlegen, auf welchem Wege
wir uns die beiden Quotienten

$$\frac{d^2 x_{1,5}}{dt^2} \text{ und } \frac{d^2 x_{2,5}}{dt^2}$$

verschaffen können. Denn die drei anderen Quotienten

$$\frac{d^2 x_1}{dt^2}, \quad \frac{d^2 x_2}{dt^2}, \quad \frac{d^2 x_3}{dt^2}$$

sind wegen des inhärierenden Faktors $k^2$ mit der verlangten Genauigkeit bekannt, da wir die Gröfsen

$$\varrho_2, \, r_2$$

und mit Hilfe von $(\alpha)$ auch

$$x_2, \, y_2, \, z_3$$

an dieser Stelle bereits bis zu den Gröfsen 4. Ordnung inclusive vermittelt haben.

Zunächst ist einleuchtend, dafs wir die Quotienten 1. Ordnung auf Grund der vorangegangenen Rechnung ohne Weiteres mit Hilfe der Vergleichungen

$$x_1 = x_2 - \frac{dx_2}{dt}\cdot\frac{t_1}{1} + \frac{d^2x_2}{dt^2}\cdot\frac{t_1{}^2}{2} - \frac{d^3x_2}{dt^3}\cdot\frac{t_1{}^3}{3\,!} + \frac{d^4x_2}{dt^4}\cdot\frac{t_1{}^4}{4\,!}$$

$$y_1 = y_2 - \frac{dy_2}{dt}\cdot\frac{t_1}{1} + \cdots$$

$$z_1 = z_2 - \frac{dz_2}{dt}\cdot\frac{t_1}{1} + \cdots \quad \text{u. s. f.}$$

hinschreiben können, nämlich:

$$\frac{dx_2}{dt} = \frac{x_2 - x_1}{t_1} + \frac{d^2x_2}{dt^2}\cdot\frac{t_1}{2} - \frac{d^3x_2}{dt^3}\cdot\frac{t_1{}^2}{3\,!} + \frac{d^4x_2}{dt^4}\cdot\frac{t_1{}^3}{4\,!}$$

u. s. f.

Damit haben wir aber Alles, um zwischen und neben den ursprünglichen Planetenörtern beliebige andere interpolieren zu können — mit der nämlichen Genauigkeit, welche den Koordinaten jener Örter zur Zeit innewohnt, im vorliegenden Falle demnach bis zu Fehlern der 5. Ordnung. Man findet nämlich:

$$x_{1,5} = x_2 - \frac{dx_2}{dt}\cdot\frac{t_1}{2\cdot1} + \frac{d^2x_2}{dt^2}\cdot\frac{t_1{}^2}{2^2\cdot2} - \frac{d^3x_2}{dt^3}\cdot\frac{t_1{}^3}{2^3\cdot3\,!} + \frac{d^4x_2}{dt^4}\cdot\frac{t_1{}^4}{2^4\cdot4\,!}$$

$$y_{1,5} = y_2 - \frac{dy_2}{dt}\cdot\frac{t_1}{2\cdot1} + \cdots$$

$$z_{1,5} = z_2 - \cdots$$

$$x_{2,5} = x_2 + \frac{dx_2}{dt}\cdot\frac{t_2}{2\cdot1} + \cdots$$

u. s. f.

Es erfordert diese Interpolationsrechnung kaum mehr als einfache Additionen bereits bekannter Gröfsen. Die so gefundenen Koordinaten der interpolierten Örter enthalten nur noch Fehler der fünften Ordnung. Ihre Differentialquotienten der 2. Ordnung

$$\frac{d^2x_{1,5}}{dt^2} = -\frac{k^2x_{1,5}}{r_{1,5}{}^3} \text{ u. s. f.}$$

folglich blofs Fehler der 7. Ordnung. Dieselben sind mithin zur Bestimmung von Gröfsen 5. und 6. Ordnung — welche hier verlangt wird — vollkommen geeignet. Nachdem nun diese letztere erfolgt, unterliegt auch die Verbesserung der Koordinaten keinen weiteren Schwierigkeiten Es sei nur noch bemerkt, dafs die wirkliche Ausführung dieser Rechnung zunächst eine allgemeine Auflösung der Gleichungen (III) bedingt, welche ergiebt:

$$\varrho_2 = \frac{t_1 b_3 + t_2 b_1 - (t_1 + t_2)b_2}{t_1 + t_2} + \frac{\sin(\lambda_3 - \lambda_1)}{\alpha \cos \beta_2} \cdot \triangle x_2$$

$$+ \frac{\operatorname{tg}\beta_1 \cos \lambda_3 - \operatorname{tg}\beta_3 \cos \lambda_1}{\alpha \cos \beta_2} \cdot \triangle y_2 + \frac{\operatorname{tg}\beta_3 \sin \lambda_1 - \operatorname{tg}\beta_1 \sin \lambda_3}{\alpha \cos \beta_2} \triangle z_2 .$$

Wie man auf diesem Wege — durch Einschaltung neuer Örter — weiter gehen könnte, ist leicht ersichtlich. Die Interpolation selbst verursacht dabei die geringsten Schwierigkeiten: der Mifsstand liegt lediglich in der von Näherung zu Näherung sich mehrenden Anzahl der aufzulösenden Gleichungen. Beschränkt man aber die eben von uns betrachtete Methode, **höhere Differentialquotienten auf niedere zurückzuführen,** auf die Reduktion der 3. und 4. Differentialquotienten, wie dieselben in den Gleichungen (III$\beta$) zum Ausdrucke kommt, so giebt es keine andere Methode, welche bis zu dieser Stufe der Annäherung sich ihr an Einfachheit vergleichen liefse.

Um aber eine nach allen Seiten befriedigende Lösung des Bahnproblems zu erhalten, wird man die letztgenannte Methode noch durch ein Verfahren ergänzen müssen, welche weitere Annäherungen gestattet, ohne dafs mit jedem Male die Schwierigkeiten sich wesentlich erhöhen. Ehe wir jedoch hierzu übergehen, wollen wir eine kurze **Zusammenstellung derjenigen Gleichungen** vorausschicken, welche für die weitere Entwickelung des Bahnproblems von hervorragender Bedeutung sind. Die Ableitung dieser Gleichungen können wir dem Leser um so mehr überlassen, da dieselbe der Regel nach aus den Polargleichungen der Ellipse unter Zuhilfenahme 'der Keplerschen Gleichung (S. 25) und elementarer trigonometrischer Relationen bewirkt werden kann. Nur bei denjenigen Relationen, für deren Herleitung diese Mittel nicht ausreichen, werden wir den Weg ihrer Begründung kurz angeben.

Bezeichnungen:

$a =$ grofse Halbachse der gesuchten Bahn,

$p =$ Semiparameter,

$\varepsilon =$ Excentrizität,

$i =$ Neigung der Bahn gegen die Grundebene,

$\varphi_1, \varphi_2, \varphi_3 =$ wahre Anomalien in der 1., 2. und 3. Beobachtung,

$u_1, u_2, u_3 =$ excentrische „ „ „ „ „ „ „

$f_1, f_2, F =$ den doppelten Dreiecksflächen, welche von dem 1. und 2., dem 2. und 3. sowie 1. und 3. Radius mit den zugehörigen Sehnen gebildet werden, so dafs:

$$f_1 = r_1 r_2 \sin (\varphi_2 - \varphi_1)$$
$$f_2 = r_2 r_3 \sin (\varphi_3 - \varphi_2)$$
$$F = r_1 r_3 \sin (\varphi_3 - \varphi_1).$$

Gleichungen:

Aufser den aus dem Früheren (vergl. S. 24 und 25) bekannten Gleichungen:

$$r(1 + \varepsilon \cos \varphi) = p \cdot \cdot \cdot \cdot \cdot \cdot \cdot \quad (1)$$
$$r = a(1 - \varepsilon \cos u) \cdot \cdot \cdot \cdot \cdot \cdot \quad (2)$$
$$(1 + \varepsilon) \operatorname{tg}^2 \frac{u}{2} = (1 - \varepsilon) \operatorname{tg}^2 \frac{\varphi}{2} \cdot \cdot \cdot \cdot \cdot \quad (3)$$
$$u - \varepsilon \sin u = nt \cdot \cdot \cdot \cdot \cdot \cdot \cdot \quad (4)$$

sind insbesondere noch folgende von allgemeiner Bedeutung:

$$\sqrt{r_1 r_2} \sin \frac{\varphi_2 - \varphi_1}{2} = \sqrt{ap} \sin \frac{u_2 - u_1}{2} \cdot \cdot \cdot \cdot \quad (5)$$
$$\sqrt{r_1 r_2} \sin \frac{\varphi_2 + \varphi_1}{2} = \sqrt{ap} \sin \frac{u_2 + u_1}{2} \cdot \cdot \cdot \cdot \quad (6)$$
$$r_1 r_2 \sin(\varphi_2 - \varphi_1) = k \sqrt{p}\, t_1 - a^{\frac{3}{2}} p^{\frac{1}{2}} [u_2 - u_1 - \sin(u_2 - u_1)] \cdot (7)$$
$$\cos \frac{u_2 - u_1}{2} = \frac{r_1 + r_2}{2\sqrt{r_1 r_2} \cos \frac{\varphi_2 - \varphi_1}{2}} - \frac{1}{p} \cdot \frac{\sqrt{r_1 r_2}}{\cos \frac{\varphi_2 - \varphi_1}{2}} \sin^2 \frac{\varphi_2 - \varphi_1}{2} \quad (8)$$
$$\frac{u_2 - u_1 - \sin(u_2 - u_1)}{\sin^3 \frac{u_2 - u_1}{2}} = \frac{4}{3} + \frac{4.6}{3.5} \sin^2 \frac{u_2 - u_1}{2} + \frac{4.6.8}{3.5.7} \sin^4 \frac{u_2 - u_1}{2} + \cdots (9)$$

(durch die bekannten Mittel der Analysis zu entwickeln!)

$$\left.\begin{aligned} f_1 x_3 + f_2 x_1 - F x_2 &= 0 \\ f_1 y_3 + f_2 y_1 - F y_2 &= 0 \\ f_1 z_3 + f_2 z_1 - F z_2 &= 0 \end{aligned}\right\} \quad \cdots \quad (10)$$

Es ergeben sich diese für die Lösung des Problems grundlegenden Gleichungen am leichtesten auf folgendem Wege. Erwägt man, daß nach der analytischen Geometrie

$$y_3 x_2 - x_3 y_2$$
$$y_2 x_1 - x_2 y_1$$
$$y_3 x_1 - x_3 y_1$$

die Projektionen der Doppeldreiecke $f_2, f_1, F$ auf die Grundebene der $xy$ bedeuten, so hat man, — wenn $i$ die Neigung der Bahn gegen diese Ebene —

$$\cos i = \frac{y_3 x_2 - x_3 y_2}{f_2} \quad \text{u. s. f.}$$

Nun ist identisch:

$$x_1(y_3 x_2 - x_3 y_2) + x_3(y_2 x_1 - x_2 y_1) - x_2(y_3 x_1 - x_3 y_1) = 0.$$

Wird mit $\cos i$ dividiert, so erhält man die erste der Gleichungen (10). Ebenso ergeben sich dann auch die zwei folgenden auf die beiden anderen Koordinatenebenen sich beziehenden Relationen.

Aus den Polargleichungen der Ellipse für die 3 Örter folgt ferner:

$$p = \frac{4 r_1 r_2 r_3 \sin\frac{\varphi_2 - \varphi_1}{2} \sin\frac{\varphi_3 - \varphi_2}{2} \sin\frac{\varphi_3 - \varphi_1}{2}}{f_1 + f_2 - F} \quad \cdots \quad (10)$$

Durch eine etwas mühevolle Rechnung (indem man zunächst die Koordinaten $x, y, z$ durch die excentrische Anomalie und die Bahnelemente ausdrückt, sodann differenziert und zwischen den Koordinaten und ihren Differentialen eliminiert) erhält man die merkwürdigen Ausdrücke:

$$\left.\begin{aligned} \frac{dx_2}{dt} &= \frac{k\sqrt{p}}{f_1}\left[x_2 - x_1 - \frac{2 r_1 x_2}{p}\sin^2\frac{\varphi_2 - \varphi_1}{2}\right] \\ \frac{dx_1}{dt} &= \frac{k\sqrt{p}}{f_1}\left[x_2 - x_1 + \frac{2 r_2 x_1}{p}\sin^2\frac{\varphi_2 - \varphi_1}{2}\right] \\ \frac{dy_2}{dt} &= \frac{k\sqrt{p}}{f_1}\left[y_2 - y_1 - \frac{2 r_1 y_2}{p}\sin^2\frac{\varphi_2 - \varphi_1}{2}\right] \\ \frac{dr_2}{dt} &= \frac{k\sqrt{p}}{f_1}\left[r_2 - r_1 + 2 r_1\frac{p - r_2}{p}\sin^2\frac{\varphi_2 - \varphi_1}{2}\right] \end{aligned}\right\} \quad \cdots \quad (12)$$

u. s. f.

Hieraus ergiebt sich u. A.

$$\left.\begin{aligned}
\frac{dx_1}{dt} - \frac{dx_2}{dt} &= -\frac{d^2x_2}{dt^2} \cdot \frac{t_1}{1} + \frac{d^3x_2}{dt^3} \cdot \frac{t_1{}^2}{2} - \cdots \\
&= +\frac{2k}{f_1\sqrt{p}}(r_1 x_2 + r_2 x_1)\sin^2\frac{\varphi_2 - \varphi_1}{2} \\
\frac{dx_3}{dt} - \frac{dx_2}{dt} &= +\frac{d^2x_2}{dt^2} \cdot \frac{t_2}{1} + \frac{d^3x_2}{dt^3} \cdot \frac{t_2{}^2}{2} + \cdots \\
&= -\frac{2k}{f_2\sqrt{p}}(r_2 x_3 + r_3 x_2)\sin^2\frac{\varphi_3 - \varphi_2}{2}
\end{aligned}\right\} \cdot (13)$$

Es verdient bemerkt zu werden, dafs man vermöge dieser Gleichungen der Mühe enthoben ist, bereits zur Berechnung der Differentialquotienten der 5. und 6. Ordnung n e u e Orter einzuschalten. Doch mufs ihrer Anwendung eine Berechnung des Parameters vorhergehen.

Umgekehrt läfst sich aber auch der Parameter aus ihnen bestimmen, wenn und soweit man die Differentialquotienten kennt. Denn man hat:

$$\sqrt{p} = -\frac{k(r_1 x_2 + r_2 x_1)\sin\dfrac{\varphi_2 - \varphi_1}{2}}{\cos\dfrac{\varphi_2 - \varphi_1}{2}\left(\dfrac{d^2x_2}{dt^2} \cdot t_1 - \dfrac{d^3x_2}{dt^3} \cdot \dfrac{t_1{}^2}{2} + \cdots\right)} \cdots (14)$$

Endlich mögen noch die Gleichungen

$$\cos i = \frac{y_2 x_1 - x_2 y_1}{f_1} = \frac{y_2\dfrac{dx_1}{dt} - x_2\dfrac{dy_1}{dt}}{k\sqrt{p}} \quad \cdots \quad (15)$$

$$\cos(\varphi_2 - \varphi_1) = \frac{x_1 x_2}{r_1 r_2} + \frac{y_1 y_2}{r_1 r_2} + \frac{z_1 z_2}{r_1 r_2}. \quad \cdots \quad (16)$$

Erwähnung finden. Die letzte Gleichung folgt unmittelbar aus der bekannten Regel für den Kosinus zweier Strahlen (hier $r_1$ und $r_2$) im Raume, indem man bemerkt, dafs

$\varphi_2 - \varphi_1$ den Zwischenwinkel von $r_1$ und $r_2$

$\dfrac{x_1}{r_1}$ den Kosinus des von $r_1$ mit der X-Achse gebildeten Winkels

u. s. f.

darstellt.

## Entwickelung eines allgemeinen Näherungsverfahrens.

Durch Auflösung der Gleichungen (10) folgt:

$$\left.\begin{aligned}
\varrho_1 &= a_2 \frac{F}{f_2} - a_3 \frac{f_1}{f_2} - a_1 \\
\varrho_2 &= - b_2 + b_3 \frac{f_1}{F} + b_1 \frac{f_2}{F} \\
\varrho_3 &= c_2 \frac{F}{f_1} - c_3 - c_1 \frac{f_2}{f_1}
\end{aligned}\right\} \quad \cdots \cdots \ (10\alpha)$$

Wird die erste dieser Gleichungen unter Mitwirkung der Relation (11) in nachstehender Weise umgestaltet:

$$\varrho_1 = a_2 \frac{f_1 + f_2}{f_2} - a_3 \frac{f_1}{f_2} - a_1 - a_2 \frac{f_1 + f_2 - F}{f_2}$$

$$= a_2 - a_1 - (a_3 - a_2)\frac{f_1}{f_2} - \frac{4 a_2 r_1 r_2 r_3 \sin\frac{\varphi_2-\varphi_1}{2}\sin\frac{\varphi_3-\varphi_2}{2}\sin\frac{\varphi_3-\varphi_1}{2}}{p f_2}$$

$$= a_2 - a_1 - (a_3 - a_2)\frac{t_1}{t_2} - \frac{2 a_2 r_1 \sin\frac{\varphi_2-\varphi_1}{2}\sin\frac{\varphi_3-\varphi_1}{2}}{p \cos\frac{\varphi_3-\varphi_2}{2}}$$

$$- (a_3 - a_2)\left(\frac{f_1}{f_2} - \frac{t_1}{t_2}\right) \cdots (V)$$

so ist die Form dieser Gleichung zur Bestimmung von $\varrho_1$ sehr geeignet.

Obschon wir von derselben nur zur weiteren Korrektion des aus (III$\beta$) folgenden, bereits bis zu den Größen 4. Ordnung genauen Werts Gebrauch machen werden, so wollen wir doch mit einigen Worten andeuten, wie dieselbe auch zur Eröffnung der gesamten Rechnung dienen kann.

Setzt man nämlich für die erste Näherung

$$\frac{f_1}{f_2} = \frac{t_1}{t_2}$$

$$\sin\frac{\varphi_2-\varphi_1}{2} = \frac{\varphi_2-\varphi_1}{2} + \ldots = \frac{d\varphi_1}{dt}\cdot\frac{t_1}{2} + \ldots = \frac{k\sqrt{p}}{2 r_1^2}\cdot t_1 + \ldots \text{(cf. p. 31)}$$

$$\sin\frac{\varphi_3-\varphi_1}{2} = \frac{k\sqrt{p}\,(t_1+t_2)}{2 r_1^2}$$

$$\cos\frac{\varphi_3-\varphi_2}{2} = 1,$$

so verwandelt sich die Gleichung (V) in:

$$\varrho_1 = \frac{(a_2 - a_1)\, t_2 - (a_3 - a_2)\, t_1}{t_2} - \frac{k^2 t_1 (t_1 + t_2)}{2 r_1{}^3},$$

also genau in die erste, auf ganz anderem Wege gewonnene Relation des Systems (IV).

Um nun die Gleichung (V) weiter zu entwickeln und zur Ausführung höherer Annäherungen brauchbar zu machen, bedienen wir uns der Gleichungen (7), (6) und (9), indem wir zunächst folgende Abkürzungen einführen

$$\sin^2 \frac{u_3 - u_2}{2} = \xi_2, \quad \sin^2 \frac{u_2 - u_1}{2} = \xi_1$$

$$\sqrt{\frac{r_1{}^3}{r_3{}^3}} \cdot \frac{\sin^3 \frac{\varphi_2 - \varphi_1}{2}}{\sin^3 \frac{\varphi_3 - \varphi_2}{2}} \cdot \frac{t_2}{t_1} = N; \quad \frac{k \sqrt{p}\, t_1}{f_1} = \gamma_1; \quad \frac{k \sqrt{p}\, t_2}{f_2} = \gamma_2;$$

$$\frac{k \sqrt{p}\, (t_1 + t_2)}{F} = \gamma_3.$$

Es ergiebt sich dann:

$$\frac{f_1}{f_2} - \frac{t_1}{t_2} = \frac{t_2 f_1 - t_1 f_2}{t_2 f_2}$$

$$= \frac{t_1 a^{\frac{3}{2}} \sqrt{p}\, [u_3 - u_2 - \sin(u_3 - u_2)] - t_2 a^{\frac{3}{2}} \sqrt{p}\, [u_2 - u_1 - \sin(u_2 - u_1)]}{t_2 f_2}$$

$$= \frac{t_1 \sqrt{r_2{}^3 r_3{}^3} \sin^3 \frac{\varphi_3 - \varphi_2}{2} \left[\frac{4}{3} + \frac{4 \cdot 6}{3 \cdot 5} \xi_2 + \frac{4 \cdot 6 \cdot 8}{3 \cdot 5 \cdot 7} \xi_2{}^2 + \dots\right] - t_2 \sqrt{r_1{}^3 r_2{}^3} \sin^3 \frac{\varphi_2 - \varphi_1}{2} \left[\frac{4}{3} + \frac{4 \cdot 6}{3 \cdot 5} \xi_1 + \dots\right]}{t_2 f_2 \cdot p}$$

$$= \frac{2 t_1 \sqrt{r_2 r_3} \sin^2 \frac{\varphi_3 - \varphi_2}{2}}{3 t_2 \cdot \cos \frac{\varphi_3 - \varphi_2}{2}}$$

$$\times \left[\left(1 + \frac{6}{5} \xi_2 + \frac{6 \cdot 8}{5 \cdot 7} \xi_2{}^2 + \dots\right) - N\left(1 + \frac{6}{5} \xi_1 + \frac{6 \cdot 8}{5 \cdot 7} \xi_1{}^2 + \dots\right)\right] \frac{1}{p}$$

$$= \frac{k^2 t_1 t_2}{6 \left(\sqrt{r_2 r_3} \cos \frac{\varphi_3 - \varphi_2}{2}\right)^3 \gamma_2{}^2} \left[\left(1 + \frac{6}{5} \xi_2 + \dots\right) - N\left(1 + \frac{6}{5} \xi_1 + \dots\right)\right] \quad (\varepsilon)$$

und nach Substitution dieses Ausdrucks nimmt die Gleichung (V) die Form an:

$$\varrho_1 = \frac{(a_2 - a_1)\, t_2 - (a_3 - a_2)\, t_1}{t_2} \quad \cdot \; \cdot \; \text{0. Ordnung}$$

$$-\frac{k^2 t_1 (t_1 + t_2)\, a_2}{2 r_1 r_2 r_3 \cos \frac{\varphi_2 - \varphi_1}{2} \cos \frac{\varphi_3 - \varphi_2}{2} \cos \frac{\varphi_3 - \varphi_1}{2} \cdot \gamma_1 \gamma_3}$$

$$-\frac{k^2 t_1 t_2 (a_3 - a_2)}{6\left(\sqrt{r_2 r_3}\, \cos \frac{\varphi_3 - \varphi_2}{2}\right)^3 \gamma_2^2} [1 - N]$$

2. Ordnung

$$-\frac{k^2 t_1 t_2 (a_3 - a_2)}{5\left(\sqrt{r_2 r_3}\, \cos \frac{\varphi_3 - \varphi_2}{2}\right)^3 \gamma_2^2} [\xi_2 - N \xi_1] \quad \cdot \; \cdot \; \cdot \; \cdot \; \text{4. Ordnung}$$

$$-\frac{8 k^2 t_1 t_2 (a_3 - a_2)}{35 \left(\sqrt{r_2 r_3}\, \cos \frac{\varphi_3 - \varphi_2}{2}\right)^3 \gamma_2^2} [\xi_2^2 - N \xi_1^2] \cdot \; \cdot \; \cdot \; \cdot \; \text{6. Ordnung}$$

$$\text{u. s. f.} \; \cdot \; \cdot \; \cdot \; \cdot \; \cdot \; \cdot \; \cdot \; \cdot \; \cdot \; \cdot \; \text{(V}\alpha\text{),}$$

In erster Näherung würde man, wenn die Rechnung auch mit vorstehender Gleichung eingeleitet werden soll,

$$\gamma_1 = \frac{k \sqrt{p}\, t_1}{f_1} = \frac{Sektor}{Dreieck} = 1$$

$$\gamma_2 = 1 \;\; \text{und} \;\; \gamma_3 = 1$$

$$r_2 = r_3 = r_1$$

$$\cos \frac{\varphi_2 - \varphi_1}{2} = \cos \frac{\varphi_3 - \varphi_2}{2} = \cos \frac{\varphi_3 - \varphi_1}{2} = 1$$

setzen und zunächst lediglich die Gröfsen 2. Ordnung mit berücksichtigen. Da der Faktor

$$1 - N$$

in diesem Stadium der Rechnung sich auf

$$1 - \frac{t_1^2}{t_2^2}$$

reduziert, so erscheint es nur dann unbedingt geboten, das mit ihm behaftete Glied 2. Ordnung in die erste Annäherung aufzunehmen, wenn die Zeiträume $t_1$ und $t_2$ eine erheblich verschiedene Gröfse besitzen.

In zweiter Annäherung, welche die Gröfsen 4. Ordnung in Rechnung zu ziehen hat, müssen insbesondere die Verhältnisse

$$\gamma_2, \; \gamma_2, \; \gamma_3$$

genauer bestimmt, sowie die Gröfsen (s. Gleichung 8)

$$\xi_1 = 1 - \left[ \frac{r_1 + r_2}{2\sqrt{r_1 r_2}\,\cos\dfrac{\varphi_2 - \varphi_1}{2}} - \frac{2kt_1{}^2}{\left(2\sqrt{r_1 r_1}\,\cos\dfrac{\varphi_2 - \varphi_1}{2}\right)^3 \cdot \gamma_1{}^2} \right]^2 \quad (\mu)$$

$$\xi_2 = 1 - \left[ \frac{r_2 + r_3}{2\sqrt{r_2 r_3}\,\cos\dfrac{\varphi_3 - \varphi_2}{2}} - \frac{2k^2 t_2{}^2}{\left(2\sqrt{r_2 r_3}\,\cos\dfrac{\varphi_3 - \varphi_2}{2}\right)^3 \cdot \gamma_2{}^2} \right]^2 \quad (\lambda)$$

berechnet werden. Zu dem Zwecke bedient man sich am einfachsten der Gleichung (7). Hiernach ist:

$$\gamma_1 = \frac{k\sqrt{p}\,t_1}{r_1 r_2 \sin(\varphi_2 - \varphi_1)}$$

$$= 1 - \frac{k^2 t_1{}^2}{6\sqrt{r_1 r_2}\,\cos\dfrac{\varphi_2 - \varphi_1}{2}\Big)^3 \cdot \gamma_1{}^2} \left[ 1 + \frac{6}{5}\cdot\xi_1 + \frac{6\cdot 8}{5\cdot 7}\cdot\xi_1{}^2 + \cdots \right] \quad (\varkappa)$$

und nächstdem:

$$\left.\begin{aligned} \gamma_2 &= \frac{t_2 f_1}{t_1 f_2}\cdot\gamma_1 \\ \gamma_3 &= \frac{(t_1 + t_2) f_1}{t_1 F}\cdot\gamma_1 \end{aligned}\right\} \quad\cdots\cdots\cdots \quad (\iota)$$

Anfangs war

$$\gamma_1 = 1$$

gesetzt worden. In zweiter Näherung wird man also

$$\gamma_1 = 1 - \frac{k^2 t_1{}^2}{6\left(\sqrt{r_1 r_2}\,\cos\dfrac{\varphi_2 - \varphi_1}{2}\right)^3}$$

zu rechnen haben, um die Gröfsen 4. Ordnung vollständig heranzuziehen, während in den Gleichungen ($\mu$) und ($\lambda$) sowie in der rechten Seite der Gleichung ($\varkappa$) die Werte von $\gamma_1$, $\gamma_2$ vorläufig $= 1$ gesetzt werden, selbstverständlich aber auch in der bereits verbesserten Gestalt zur Anwendung kommen dürfen.

Nachdem so ein genauerer Wert von $\varrho_1$ gefunden, wiederholt sich die Rechnung, indem man die Gleichung (V$\alpha$) in der bis zu den Gröfsen 6. Ordnung erweiterten Form zu Grunde legt.

Da wir annehmen, dafs die Koordinaten nach der Methode der unendlichen Reihen (Gleichung III$\beta$ und 16) schon bis zu den Gröfsen 4. Ordnung genau bestimmt sind, so wird man — um nun mit Hilfe der (V$\alpha$) die Annäherung **fortzusetzen** — auch in den r e c h t e n Seiten der Gleichungen ($\mu$) und ($\varkappa$)

$$\gamma_1 = 1 - \frac{k^2 t_1{}^2}{6\left(\sqrt{r_1 r_2}\ \cos \dfrac{\varphi_2 - \varphi_1}{2}\right)^3}$$

zu nehmen und überdies in $(\varkappa)$ das mit dem Faktor $\xi_1$ versehene Glied heranzuziehen haben, um $\gamma_1$ mit dem hier verlangten Genauigkeitsgrade zu erhalten.

Es bedarf jetzt nur noch ein Punkt einer kurzen Erörterung. Aus dem Systeme (III$\beta$) mit seinen Hilfsgleichungen ergeben sich gleichzeitig die Größen

$$\varrho_1, \ \varrho_2, \ \varrho_3, \ r_1, \ r_2, \ r_3$$

und dann vermöge der Gleichung (16) und der ihr ähnlichen Relationen die Winkel

$$\varphi_2 - \varphi_1, \ \varphi_3 - \varphi_2, \ \varphi_3 - \varphi_1.$$

Operiert man nun aber mit der Gleichung (V$\alpha$) — sei es, daß damit die Rechnung überhaupt begonnen oder die Verbesserung der aus (III$\beta$) gewonnenen Ergebnisse vorgenommen wird — so ist noch die Frage zu beantworten, auf welchem Wege in diesem Falle die Werte von

$$\varrho_2 \ \text{und} \ \varrho_3$$

bestimmt werden.

Transformiert man zunächst die 3. Relation des Systems (10$\alpha$) in ähnlicher Weise wie früher die erste Relation (vergl. V und V$\alpha$), so ergiebt sich — da $\gamma_2$, $\gamma_3$ $\dfrac{f_1}{f_2}$ aus der vorausgegangenen Rechnung mit der erforderlichen Genauigkeit bekannt sind — der korrespondierende Wert von

$$\varrho_3.$$

Weniger bequem gestaltet sich, durch Anwendung und gleiche Behandlung der 2. Relation des Systems (10$\alpha$) die Bestimmung von $\varrho_2$. Vielmehr ist es vorzuziehen, zuerst $F$ mit Hilfe einer der beiden anderen Gleichungen zu eliminieren und erst dann die resultierende Gleichung in der dargelegten Weise weiter zu entwickeln. — Man findet aber auch aus $\varrho_1$ und $\varrho_3$:

$$\frac{f_1}{f_2} = \frac{a_2 c_1 - (a_1 + \varrho_1) c_2}{a_3 c_2 - (c_3 + \varrho_3) a_2} \qquad \frac{F}{f_2} = \frac{a_3 c_1 - (a_1 + \varrho_1)(c_3 + \varrho_3)}{a_2(\varrho_3 + c_3) - a_3 c_2},$$

und dann durch Substitution dieser Werte in die zweite Relation

$$(\varrho_2 + b_2)\frac{F}{f_2} = b_3\,\frac{f_1}{f_2} + b_1$$

leicht den Strahl $\qquad\qquad \varrho_2.$

## Berechnung der Elemente.

Nachdem die geo- und heliozentrischen Leitstrahlen sowie die Zwischenwinkel der letzteren ($\varphi_2 - \varphi_1$ u. s. f.) ermittelt sind, berechnet man

$$\gamma_1 = \frac{k\sqrt{p}\,t_1}{f_1}$$

nach Gleichung ($\varkappa$) von neuem und erhält daraus sofort den

Semiparameter $p$,

sowie aus ($\mu$) die Gröfse $\xi_1$, ferner aus (5) die

mittlere Entfernung $a$,

während die Gleichung $\varepsilon = \sqrt{1 - \dfrac{p}{a}}$ die Exzentrizität liefert.

Diesen Bestimmungen läfst sich aber die Berechnung der übrigen auf die Bahn und die Örter des Planeten bezüglichen Gröfsen durch Vermittelung der Polargleichungen, der Keplerschen Gleichung u. s. f. ohne Schwierigkeit anschliefsen. Es werde nur noch daran erinnert, dafs (nach Seite 122) die Bahn-Neigung $i$ am einfachsten aus

$$\cos i = \frac{y_2 z_1 - z_1 y_1}{f_1} \quad \text{(Ebene der Ekliptik} = \text{Ebene der } y-z\text{)}$$

gefunden werden kann.

Auch erscheint die Bemerkung nicht überflüssig, dafs die Gleichung (11)

$$p = \frac{4\,r_1 r_2 r_3 \sin\dfrac{\varphi_2 - \varphi_1}{2}\,\sin\dfrac{\varphi_3 - \varphi_2}{2}\,\sin\dfrac{\varphi_3 - \varphi_1}{2}}{f_1 + f_2 - F}$$

trotz aller Eleganz ihrer Form zur Berechnung des Parameters im allgemeinen ungeeignet ist. Denn der Nenner, welcher das von den drei Planetensehnen gebildete Dreieck darstellt, ist eine durch Subtraktion entstandene Gröfse der dritten Ordnung, so dafs, wenn die Argumente noch selbst mit Fehlern 3. Ordnung behaftet sind, auch nicht einmal ein näherungsweise richtiger Wert von $p$ zu erwarten ist. Zwar kann dem Ausdruck auf mannigfache Weise eine zur Rechnung geeignetere Form gegeben werden — indem man z. B. Zähler und Nenner durch $f_1$ dividiert, wodurch letzterer sich in

$$1 - \frac{F - f_2}{f_1}$$

also in eine Gröfse 2. Ordnung verwandelt — doch wird die Genauigkeit des Resultats wegen des nicht zu vermeidenden Verlusts einiger Dezimalen niemals befriedigend ausfallen.

### Zahlenbeispiel.

Um dem Leser Gelegenheit zu geben, das im vorstehenden entwickelte Verfahren in einem besonderen, der Natur entnommenen Falle zu prüfen, mögen zum Schlusse die Hauptdata der von Gaufs in der Theorie der Bewegung der Himmelskörper (§ 151 u. ff.) vollständig durchgeführten Berechnung der

*Juno-Bahn*

hier noch übersichtlich zusammengestellt werden:

### Beobachtungen:

| Beobachtungszeiten | $\lambda$ | $\beta$ | $L$ | $\log R$ |
|---|---|---|---|---|
| 1804 Okt. 5,458644 | 354° 44′ 31″,60 | — 4° 59′ 31″,06 | 12° 28′ 27″,76 | 9,9996826 |
| »    » 17,421885 | 352° 34′ 22″,12 | — 6° 21′ 55″,07 | 24° 19′ 49″,05 | 9,9980979 |
| »    » 27,393077 | 351° 34′ 30″,01 | — 7° 17′ 50″,95 | 34° 16′ 9″,65 | 9,9969678 |

Hieraus (s. e. c.): $\alpha = 0,0002051838$.

$\log a_1 = 1,2686397$  |  $\log a_2 = 1,5353883$  |  $\log a_3 = 1,6657662$

$\log -b_1 = 1,5847192$  |  $\log -b_2 = 1,8919579$  |  $\log -b_3 = 2,0352753$

$\log c_1 = 1,3187119$  |  $\log c_2 = 1,6489324$  |  $\log c_2 = 1,7988222$

$r_1{}^2 = \varrho_1{}^2 + \overline{0,2779226}\ \varrho_1 + \overline{9,9993652}$

$r_2{}^2 = \varrho_2{}^2 + \overline{0,2260202}\ \varrho_2 + \overline{9,9961958}$   } Die überstrichenen Zahlen bedeuten Logarithmen.

$r_3{}^2 = \varrho_3{}^2 + \overline{0,1607421}\ \varrho_3 + \overline{9,9939356}$

Verbesserte Zeiten: $\log t_1 = 1,0778409$; $\log t_2 = 0,9987339$.

Endergebnisse (mit Berücksichtigung der Gröfsen 6. Ordnung):

$\log r_1 = 0,3307640$; $\log r_2 = 0,3259878$; $\log r_3 = 0,3222239$.

$\varphi_2 - \varphi_1 = 4° 5′ 53″,34$; $\varphi_3 - \varphi_2 = 3° 29′ 0″,39$

$\log p = 0,3954836$; $\log a = 0,4224389$; $\log \varepsilon = \log \sin 14° 12′ 1″,87$.

Neigung der Bahn $= 13° 6′ 44″,10$.

Länge des aufsteigenden Knotens $= 171° 7′ 48″,73$.

Mittlere tägliche Bewegung $= 824″,7989$.

# 14 DAY USE

## RETURN TO DESK FROM WHICH BORROWED

# LOAN DEPT.

This book is due on the last date stamped below, or
on the date to which renewed.
Renewed books are subject to immediate recall.

| | |
|---|---|
| 12 Dec'62 RR | |
| REC D LD<br>DEC 7 1962 | |
| | |
| | |
| | |
| | |
| | |
| | |
| | |
| | |
| | |
| | |

LD 21A–50m-3,'62
(C7097s10)476B

General Library
University of California
Berkeley